Mary Lee Kenyon

LECTURAS ESCOGIDAS

LECTURAS ESCOGIDAS

BY

LLOYD A. KASTEN

AND

EDUARDO NEALE-SILVA

Instructors in Spanish
University of Wisconsin

HARPER & BROTHERS PUBLISHERS
New York and London
1934

LECTURAS ESCOGIDAS

Printed in the United States of America

B-K

CONTENTS

CONTENTS

PREFACE

THIS volume is an outgrowth of material used in preliminary form during several years in elementary Spanish classes at the University of Wisconsin. Its primary purpose is to furnish reading material to college and high school students which will be of interest to them, comparable in theme to short stories which they select for reading in English. The stories chosen represent Spanish and South American authors and journalists of recognized standing, and often these selections constitute the best of their work. They are the most popular part of the material used at the University of Wisconsin, as determined by the preference of the students.

All the stories are adaptations of their original form. The nature of Spanish style has compelled a simplification for the purpose of beginners in the language. The length of the stories is generally very much reduced in order to bring them within the scope of one or two assignments. The longer stories are subdivided to facilitate the making of assignments. Phrases and vocabulary of the original were preserved wherever possible, but the syntax has undergone many revisions in order that the grammatical knowledge of the student may be able to cope with the forms occurring at various stages of the book. New tenses make their appearance at intervals, ending with the subjunctive in the last four selections. To simplify further the task of translation, the verb forms are given in the vocabulary—all the irregular forms in the book and the regular forms for approximately ten stories beyond the point at which that tense is introduced. All complicated constructions will likewise be found translated in the vocabulary and in the notes.

There are approximately 3100 entries in the vocabulary, which may be distributed as follows: Proper nouns, 5 per cent; words resembling English both in form and in meaning, 20 per cent; words falling into groups (largely infinitives and forms of the finite verb—a total of 391 groups), 45 per cent; other words, 30 per cent. A check has been made with the frequency count of Professor M. A. Buchanan, and rare words have been eliminated wherever possible. At times it was felt desirable, or even necessary, for the meaning of the story to keep some less frequently appearing word, such as *almohada, agujero, gallina, pesado,* and others which represent common words in daily use. Idioms were likewise checked with the idiom list of Professor Hayward Keniston and with the idiom study being carried on at the University of Wisconsin under the direction of Professor H. C. Berkowitz. Here, too, a few necessary departures have been made from the more frequent idioms, but in general those included conform with the more frequent ones in these two lists.

In order to further the acquisition of an active vocabulary, there has been added to each story a list of the words and idioms of highest frequency occurring in that selection. Doubtless some of them will be a repetition of the vocabulary found in most grammars, but it is hoped that the approximately five hundred words and idioms listed under the Active Vocabularies may substantially increase the student's store of words.

A *Cuestionario* has been appended to each prose selection for purposes of conversation. Although many teachers will prefer to form their own questions on the stories, these *cuestionarios,* when assigned for home study, will serve to fix the facts more firmly in the mind of the student.

For purposes of memorizing, a number of short verse selections and two of the more lively fables of Tomás de Iriarte have been added. They are, in general, old favorites with students, and lend themselves readily to memory work.

Additional drill has been provided in the exercises,

which aim to cover the essentials of Spanish grammar. In order to aid the student in the preparation of these exercises, a grammatical summary has been added. This summary is not intended to be complete, but serves merely as a convenient reference in the notes and exercises.

The material contained in this reader will be found sufficient for the first semester of college, together with a portion of the second semester, or for the entire high school year. The comparative difficulty of the final selections, introducing all tenses, will serve as a bridge between the simple Spanish read during the first course and the more difficult works which usually complete the program of the year.

The authors wish to express their gratitude to the staff of the Spanish Department of the University of Wisconsin who tried out the book in its preliminary form and offered many valuable suggestions. Special thanks are due to Professors Joaquín Ortega, H. C. Berkowitz, and C. D. Cool of the University of Wisconsin for their careful reading of the text and the many helpful criticisms of it. The authors likewise express their appreciation to the authors of the original stories for the permission which they generously granted for the inclusion of their work. For the illustrations acknowledgment is made to Sra. Jesusa Alfau de Solalinde.

Lloyd A. Kasten
Eduardo Neale-Silva

July, 1934

LECTURAS ESCOGIDAS

un cuento - a story

una página - a page

párrafo - paragraph

línea - line

nota - note

dibujo - illu

EL CIEGO ASTUTO

Un ciego va por los campos de Castilla. Su guía es un muchacho de ocho años llamado Lazarillo.

Es el mes de septiembre, mes de las frutas. Un campesino llama al[1] ciego para darle[2] un racimo de uvas. Como el ciego está cansado, decide comerse[3] las uvas. Sentado en una piedra, dice al muchacho:

—Deseo mostrarte mi generosidad. Tú vas a comer tantas uvas como yo. Para evitar engaños, tú tomas una uva y yo tomo otra—sólo una cada vez.

Pronto Lazarillo ve que el ciego toma dos uvas cada vez. Decide entonces tomar dos también, y después, tres. Cuando sólo quedan muy pocas uvas dice el ciego:

—Me engañas,[4] Lazarillo. Sé que tomas tres uvas y no una.

—No, señor—contesta el muchacho.

Pero el ciego responde:

—¿Sabes cómo sé que tú tomas tres cada vez? Porque cuando yo tomo dos, tú no dices nada.[5]

Retold from *La Vida de Lazarillo de Tormes*

NOTES

[1] **al** the (58)*
[2] **darle** give to him (21)
[3] **comerse** to eat (up)
[4] **me engañas** you deceive me
[5] **nada** anything (30)

ACTIVE VOCABULARY

el **año** year
comer to eat
dar to give
después afterwards
el **mes** month
el **muchacho** boy
pronto soon
el **señor** gentleman, sir
también also, too
tomar to take

CUESTIONARIO

1. ¿Quién va por los campos de Castilla?
2. ¿Quién es Lazarillo?
3. ¿Quién llama al ciego?
4. ¿Qué da el campesino al ciego?
5. ¿Cuántas uvas toma el ciego?
6. ¿Qué decide entonces Lazarillo?
7. ¿Quién engaña al ciego?

* Figures in parentheses refer to the Grammatical Summary, p. 153 ff.

LOS PODERES DEL PAPÁ

DON GREGORIO ALCÁNTARA viaja en un tren español. Va en compañía de su hijo Alfonsín, niño de cinco años.

Como es la primera vez que Alfonsín viaja en tren, está muy contento. El padre observa que el niño saca la cabeza por la ventanilla para ver mejor.

—Alfonsín—dice el papá—no debes hacer eso porque vas a perder el[1] sombrero.

Muy pronto el niño olvida la observación del padre y repite su falta. Para corregir su desobediencia, el padre toma el sombrero del chico, lo[2] esconde rápidamente y exclama:

—¿No ves? ¿Dónde está el sombrero? Eres un niño desobediente.

Alfonsín, muy triste, busca por todas partes.[3] Para consolar al niño, don Gregorio dice:

—Ahora, voy a llamar al[4] sombrero y en un segundo está aquí.

Mientras Alfonsín busca debajo del[5] asiento, aparece otra vez el sombrero.

La alegría de Alfonsín es tan grande que desea probar otra vez los poderes misteriosos del papá. Saca la cabeza por la ventanilla y deja escapar el sombrero, diciendo con satisfacción infantil:

—¡Papá, papá! Llama al[4] sombrero ahora.

NOTES

[1] **el** your (4b)
[2] **lo** it (direct object pronoun)
[3] **por todas partes** everywhere
[4] **al** the (**a** used because **sombrero** is personified)
[5] **debajo de** underneath

ACTIVE VOCABULARY

ahora now
aquí here
la **cabeza** head
desear to wish, want
¿dónde? where?
grande large, big, great
llamar to call
el **niño** child, boy
el **padre** father
triste sad

CUESTIONARIO

1. ¿En qué viaja don Gregorio Alcántara?
2. ¿Quién va con don Gregorio?
3. ¿Por dónde saca la cabeza el niño?
4. ¿Qué va a perder el niño?
5. ¿Qué olvida el niño?
6. ¿Qué toma el padre?
7. ¿Dónde busca Alfonsín el sombrero?
8. ¿Qué va a llamar el padre?
9. ¿Qué desea probar el niño?
10. ¿Qué dice el niño al papá?

UNA MUJER PRÁCTICA

UN JOVEN estudiante vuelve a su casa después de una larga ausencia. Durante el almuerzo, quiere probar a sus padres que sabe mucho. En un plato hay dos huevos pasados por agua. Toma uno y lo esconde. Luego pregunta a su padre:

—¿Cuántos huevos hay en el plato?

El padre contesta:

—Uno.

El estudiante pone en el plato el otro huevo que tiene en la[1] mano, diciendo:

—¿Y ahora cuántos hay?

El padre responde:

—Dos.

—Pues entonces—contesta el estudiante—, dos que hay ahora y el otro huevo de antes, son tres. Luego hay tres huevos en el plato.

El padre admira la inteligencia del hijo, pero no comprende el difícil problema. Sus[2] ojos le dicen que hay sólo dos huevos, pero el conocimiento profundo de su hijo le[3] hace afirmar que hay tres.

Al fin la madre decide la cuestión prácticamente:

—Yo no comprendo tus[4] explicaciones, hijo mío—le[5] dice—, pero hay una solución muy fácil. La madre pone entonces un huevo en el plato de su esposo, toma otro para sí[6] y dice a su sabio hijo:

—Tú puedes tomar el tercero.

Adapted from Juan Valera: *Los milagros de la dialéctica*

NOTES

[1] **la** his (4b)
[2] **sus** his (not replaced by the definite article when it begins a sentence)
[3] **le** him
[4] **tus** your (17a)
[5] **le** to him (20)
[6] **para sí** for herself

ACTIVE VOCABULARY

el **agua** water
antes before
la **casa** house, home
decir to say, tell
hacer to do, make
joven young
la **madre** mother
la **mujer** woman, wife
preguntar to ask
saber to know

CUESTIONARIO

1. ¿Quién vuelve a su casa?
2. ¿Qué quiere probar el joven a sus padres?
3. ¿Qué hay en el plato?
4. ¿Qué pregunta el estudiante a su padre?
5. ¿Qué contesta el padre?
6. ¿Dónde pone el estudiante el otro huevo?
7. ¿Cuántos huevos hay ahora?
8. ¿Qué admira el padre?
9. ¿Quién decide la cuestión?
10. ¿Qué no comprende la madre?
11. ¿Es fácil la solución?
12. ¿Qué dice la madre a su hijo?

UNA LECCIÓN DE CORTESÍA

Don Ramón es un hombre muy singular. Una noche llega a casa[1] dos horas después de la comida, se sienta[2] a la mesa y llama a[3] su criado:

—¡Francisco! ¡La sopa, Francisco!

El criado entra un momento después con el primer plato. A esas horas,[4] la sopa está completamente fría. Don Ramón dirige a su criado una terrible mirada, se levanta[2] furioso con el plato en la mano y lo arroja al patio por la ventana.

El sirviente le mira asombrado. El infeliz ha sufrido por mucho tiempo las injusticias de su amo. Esta vez desea darle una lección de cortesía. Va a la cocina, trae el pan, la carne, las legumbres y el vino, y, con gran indiferencia, los[5] arroja por la ventana. No satisfecho con esta demostración, toma el mantel, el cuchillo, el tenedor y las cucharas y los arroja también al patio.

Ahora es don Ramón quien mira con asombro a su criado. Viendo a[3] Francisco tan tranquilo, le[6] grita irritado:

—¿Qué haces, imbécil?

El criado le contesta con serenidad:

—Perdone, señor, si no comprendo bien sus intenciones. ¿No quiere Vd. comer en el patio esta noche? El tiempo está muy agradable, y como allí hay tantas flores . . .

Don Ramón reconoce su falta y no sabe qué contestar. Desde entonces, cuando llega tarde y la sopa está fría, se sienta a la mesa sin decir una palabra.

NOTES

[1] a casa home (57, 2)
[2] Reflexive verb (23)
[3] a do not translate (58)
[4] A esas horas at that hour
[5] los them (20)
[6] le at him

ACTIVE VOCABULARY

la carne meat
entrar to enter
la flor flower
el hombre man
la hora hour, time
llegar to arrive
mirar to look at
el momento moment
la noche night, evening
la palabra word

CUESTIONARIO

1. ¿Cuándo llega a casa don Ramón?
2. ¿A quién llama don Ramón?
3. ¿Con qué entra el criado?
4. ¿Cómo está la sopa?
5. ¿Qué hace don Ramón con el plato?
6. ¿Cómo le mira el sirviente?
7. ¿A dónde va el criado?
8. ¿Qué trae de la cocina?
9. ¿Qué arroja el criado por la ventana?
10. ¿Cómo mira don Ramón a su criado?
11. ¿Qué le grita al criado?
12. ¿Cómo le contesta el criado?
13. ¿Cómo está el tiempo?
14. ¿Qué reconoce don Ramón?
15. ¿Qué hace don Ramón cuando llega tarde?

UNA PINTURA DIFÍCIL

I

DON BENITO TÉLLEZ DE CABRERA, vecino de la ciudad de Úbeda, es un entusiasta coleccionista de pinturas. Un día llama a su casa a un famoso pintor.

—Deseo comprar—dice el coleccionista—un cuadro de las once mil vírgenes.

—¡Excelente idea! Yo puedo . . .

—¿Y cuánto pide Vd. por su trabajo?—pregunta don Benito con ansiedad, pensando en la manera de pagar la menor cantidad posible.

—Ésa es una obra difícil—responde el pintor—, y no puedo pedir menos de una peseta por cada virgen. Total, once mil pesetas.

—Pero, eso es demasiado. ¿Cómo puede Vd. . . . ?

—No hay necesidad de discutir eso. Pido once mil pesetas, ni[1] un céntimo más, ni un céntimo menos.

Después de vanas discusiones sobre el precio, hacen un

contrato: una peseta por cada virgen. En quince días,[2] debe presentarse el pintor otra vez para entregar la obra y recibir el pago. Sale el pintor de la casa, y don Benito se queda[3] pensando en las once mil pesetas del contrato.

II

Pasan dos semanas. El pintor vuelve con el cuadro ya terminado. Como es natural, no puede pintar once mil vírgenes en un lienzo. Por esta razón, pinta un gran templo de donde salen las vírgenes del contrato. En frente hay una docena, más atrás, dos o tres docenas más, y en el fondo, una multitud de cabezas que salen por las puertas.

Don Benito mira la obra con curiosidad, pero no parece estar satisfecho. Cuenta las cabezas con gran cuidado y, dirigiéndose[4] al pintor, dice:

—¿Cuánto vale[5] el cuadro, según el contrato?

—Once mil pesetas—contesta el pintor. —Ése es el contrato.

—Pero, señor mío, ¿cómo puede ser eso? Aquí hay sólo ciento dos cabezas . . .

—Pero ¿no ve Vd.—explica el autor del cuadro—que las otras están dentro del templo, y por esta razón no puede Vd. verlas todas?

—¡Ah! pues entonces—concluye don Benito—, tome Vd.[6] por hoy ciento dos pesetas, que corresponden a las vírgenes que ya están fuera del templo. Si salen las otras, recibe Vd. el resto.

Adapted from Mariano José de Larra: *Mi nombre y mis propósitos*

NOTES

[1] ni . . . ni neither . . . nor
[2] en quince días in two weeks
[3] se queda remains
[4] Reflexive verb (23)
[5] valer to be worth
[6] ¡tome Vd.! take! (52)

ACTIVE VOCABULARY

la ciudad city
el día day
menos less
parecer to seem
posible possible
la puerta door
recibir to receive
sobre on, concerning
el trabajo work
ya already

CUESTIONARIO

1. ¿En qué ciudad vive don Benito?
2. ¿A quién llama a su casa?
3. ¿Qué desea comprar el coleccionista?
4. ¿Qué pregunta don Benito?
5. ¿Qué responde el pintor?
6. ¿Cuánto pide el pintor por el cuadro?
7. ¿Cuándo debe presentarse el pintor?
8. ¿De dónde sale el pintor?
9. ¿Cuántas semanas pasan?
10. ¿De dónde salen las vírgenes?
11. ¿Cuántas pesetas recibe el pintor?

EL REY Y EL COCINERO

CIERTO rey llama a su presencia a un abad muy sabio y le dice:

—Mis consejeros cuentan que no eres bastante sabio para ser el abad del monasterio más importante de este país. Para probar tu sabiduría, deseo hacerte[1] tres preguntas. Si contestas mal, tienes que[2] dejar el monasterio.

Por el contrario, si contestas bien, confirmo tu abadía para toda tu vida.

Al oír[3] estas palabras, el abad comprende que los malos consejeros del rey quieren arruinarle.

—¿Cuáles son las preguntas?—dice con humildad.

El rey hace las preguntas que ha preparado:

—Primero: ¿cuánto valgo? Segundo: ¿dónde está el centro del mundo? Tercero: ¿qué pienso yo? Tienes un mes para pensar en las contestaciones; entonces, o[4] confirmo tu abadía o tienes que dejar el monasterio.

El abad vuelve muy triste porque sabe que es imposible

contestar bien. Después de tres semanas, su cocinero le pregunta:

—¿Por qué está Vd. tan triste, señor?

El abad no quiere contestar, pero el cocinero repite su pregunta y añade:

—Yo puedo ayudarle a Vd. Soy solamente su cocinero, pero ya sabe Vd. que una piedra muy pequeña puede mover las grandes carretas.

Por fin, el abad le explica la causa de su tristeza. El cocinero piensa un momento y dice:

—La cosa es muy fácil. Si Vd. me presta su ropa, entro esta noche en el palacio, y el rey va a[5] creer que es Vd. quien llega. Le prometo que puedo ayudarle a quedarse aquí toda su vida.

El abad, muy contento, da su ropa al cocinero. Por la noche, éste[6] entra en el palacio. El rey cree que es el abad y exclama:

—¿Cómo está Vd., señor abad?

—Deseo contestar a las tres preguntas ahora—responde el cocinero.

—Bueno, ¿cuáles son las contestaciones?

—Primero, Su Majestad pregunta cuánto vale. Vale veinte y nueve dineros si Cristo valió treinta. Segundo, el centro del mundo está donde Su Majestad tiene los pies. El mundo es redondo como una bola, y donde pone Su Majestad los pies ahí está el centro. Tercero, ¿en qué piensa Su Majestad? Piensa que habla con el abad, y está hablando[7] con su cocinero.

El rey queda asombrado.

—Pero ¿es verdad que Vd. no es el abad?

—Sí, señor—contesta el cocinero; —para tales preguntas soy yo suficiente; el abad no tiene necesidad de[8] venir.

El rey confirma la abadía del abad, y da muchas riquezas al cocinero.

Adapted from Juan de Timoneda: *Patrañuelo*

NOTES

[1] **hacerte** to ask you
[2] **tener que** to have to
[3] **al oír** upon hearing (57, 3)
[4] **o . . . o** either . . . or
[5] **va a** is going to
[6] **éste** the latter
[7] Progressive form (46)
[8] **no tiene necesidad de** does not need to

ACTIVE VOCABULARY

bastante enough, quite
bueno, -a good
la **cosa** thing
creer to believe, think
¿cuál? what? which?
dejar to leave
malo, -a bad, evil
el **mundo** world
el **país** country
pequeño, -a little, small
¿por qué? why?
tal such

CUESTIONARIO

1. ¿A quién llama el rey?
2. ¿Quiénes cuentan que el abad no es bastante sabio?
3. ¿Qué desea probar el rey?
4. ¿Cuántas preguntas desea hacer el rey?
5. ¿Cuáles son las preguntas?
6. ¿Es posible contestar bien?
7. ¿Qué le pregunta su cocinero?
8. ¿Qué explica por fin el abad?
9. ¿Dónde quiere entrar el cocinero?
10. ¿Qué da el abad a su cocinero?
11. ¿Qué exclama el rey?
12. ¿Cuánto vale Su Majestad?
13. ¿Cómo es el mundo?
14. ¿Con quién está hablando el rey?
15. ¿Qué da el rey al cocinero?

LOS DOS LOCOS

En un pueblo muy pequeño llamado Chinchilla, vive un loco, famoso entre los habitantes por sus manías. Los holgazanes del pueblo le han dicho[1] que todos los forasteros son malos. Por eso,[2] el loco lleva consigo un palo debajo de la ropa para defenderse de sus enemigos.

Cuando viene un forastero, el loco le pregunta de dónde es y para qué viene a Chinchilla. Mientras el forastero responde, el loco saca su palo y, sin esperar[3] más explicaciones, le da una buena paliza. Los holgazanes se

divierten mucho con estas locuras. Después explican al forastero que el hombre está loco.

Un día, un campesino llega a la fonda del pueblo. Cuando le[4] dice al propietario que va a la plaza, éste le refiere las palizas del loco.

—Voy de todos modos[5]—dice el campesino. Si me da Vd. un bastón, puedo defenderme contra todos los locos del mundo.

El propietario le da un bastón, y con esta arma sale el buen hombre a la plaza.

Cuando el campesino ve al loco, corre tras él y le da

una tremenda paliza. El loco, quien no puede defenderse de este nuevo enemigo, grita:

—¡Cuidado,[6] cuidado! ¡Hay otro loco en Chinchilla!

Adapted from Gonzalo Correas Íñigo: *Vocabulario de refranes*

NOTES

[1] **dicho** told
[2] **por eso** for this reason
[3] **esperar** waiting for (57,3)
[4] **le** do not translate
[5] **de todos modos** anyway
[6] **¡cuidado!** be careful!

ACTIVE VOCABULARY

consigo with himself
contra against
correr to run
entre among, between
esperar to wait, hope
el **loco** the mad man
llevar to carry, to take
nuevo, -a new
el **pueblo** town
vivir to live

CUESTIONARIO

1. ¿Quién vive en Chinchilla?
2. ¿Por qué es famoso entre los habitantes?
3. ¿Qué dicen los holgazanes de los forasteros?
4. ¿Qué lleva el loco consigo?
5. ¿Qué pregunta el loco al forastero?
6. ¿Qué le da el loco al forastero?
7. ¿Se divierten los holgazanes?
8. ¿Quién llega al pueblo un día?
9. ¿A dónde va el campesino?
10. ¿Qué le refiere el propietario?
11. ¿Qué lleva consigo el campesino?
12. ¿A dónde sale el buen hombre?
13. ¿Qué le da el campesino al loco?
14. ¿Qué grita el loco?

ECONOMÍA

El dueño de la librería había observado la curiosidad del joven que se detenía[1] todas las mañanas[2] a leer los títulos de las obras en venta. Algunas veces, el joven sacaba los libros de los estantes, los examinaba con gran cuidado y los dejaba después en su lugar.

Era un muchacho de aspecto modesto, vestido con sencillez. Sin duda era estudiante, pues siempre venía con libros en las manos y los bolsillos.

Una tarde, en vez de[3] detenerse[1] a leer los títulos, entró en la tienda. Se dirigió[1] al dueño y le dijo con mucha cortesía:

—Muy buenas tardes. ¿Cómo está Vd.?

—Muy bien, gracias, ¿y usted?

—Así, así.

—¿Desea Vd. algo?

El estudiante, después de mirar alrededor, dijo:

—¿Tiene Vd. el *Tratado de Economía* de Hernández?

—Sí, señor, tengo un ejemplar nuevo y muy hermoso.

Al estudiante le gustó mucho.[4] Después de examinarlo, preguntó:

—¿Cuánto vale?

—Setenta reales.

El joven examinó el ejemplar con calma, empleando mucho tiempo en ello.

—Es hermoso, sí,[5] pero muy caro. ¿No tiene Vd. otro más barato?

—Sí, señor, tengo aquí otro. Mire usted, está como nuevo.

Y otra vez empezó el joven a mirar la obra para ver si tenía todas las hojas.

—Es el *Tratado de Economía* completo. Éste[6] cuesta sólo cincuenta reales.

El estudiante suspiró:

—No, no puedo gastar eso. ¿No tiene Vd. uno en rústica?

El librero, ya un poco nervioso, arrojó el volumen sobre el mostrador.

—¿Por qué no dijo Vd. eso al principio? Tengo uno en rústica; su precio es treinta reales, pero se lo[7] doy a usted en un duro. ¡Ahora no tiene Vd. nada que decir!

—Es verdad; pero este ejemplar es nuevo. ¿No tiene uno usado?

—Tengo uno muy viejo, mírelo Vd.; se lo[7] doy en catorce reales.

—¿Tiene todas las hojas?

—Sí, señor.

El estudiante, después de examinarlo con calma, lo dejó sobre un montón de libros y dijo:

—Vamos, seguramente tiene Vd. uno un poco más usado todavía. Si no tiene cubiertas, no importa;[8] lo esencial es que . . .

El librero, pálido y con expresión feroz en los ojos, cogió

al estudiante por el cuello y, poniéndole en la calle, le gritó:

—¡Vaya Vd. con Dios![9] ¡No estudie más economía! ¡Ya sabe Vd. bastante!

Adapted from Eusebio Blasco: *Economía*

NOTES

[1] Reflexive verbs (23)
[2] **todas las mañanas** every morning
[3] **en vez de** instead of
[4] **al estudiante le gustó mucho** the student liked it very much (48)
[5] **sí** indeed
[6] **éste** this one (26)
[7] **se lo** it to you (22)
[8] **no importa** it does not matter
[9] **¡Vaya Vd. con Dios!** goodbye

ACTIVE VOCABULARY

algo something
así so, thus
la **calle** street
hermoso, -a beautiful
leer to read
el **libro** book
poco little
sacar to take out, to take down
siempre always
viejo, -a old

CUESTIONARIO

1. ¿Quién había observado la curiosidad del joven?
2. ¿Qué leía el joven todas las mañanas?
3. ¿De dónde sacaba los libros?
4. ¿Dónde dejaba el joven los libros?
5. ¿Cómo era el muchacho?
6. ¿Qué era el muchacho?
7. ¿Qué le dijo al dueño con mucha cortesía?
8. ¿Qué le contestó el dueño?
9. ¿Deseaba comprar un libro el estudiante?
10. ¿Qué preguntó después de examinar el ejemplar?

11. ¿Cuál es el precio del libro?
12. ¿Tenía el librero un ejemplar más barato?
13. ¿Cuánto cuesta el otro ejemplar?
14. ¿Dónde arrojó el volumen el librero?
15. ¿Tiene el librero un libro viejo?
16. ¿Tiene todas las hojas?
17. ¿Dónde dejó el volumen el estudiante?
18. ¿Dónde dejó el librero al estudiante?

EL TÍO CIRILO

El tío Cirilo era un aragonés de muchas palabras y de poca inteligencia. Su mujer trabajaba en casa, y ganaba algunas pesetas cuidando del cuarto y de la ropa del capitán[1] González. Éste había venido recientemente a vivir con ellos. Cirilo no tenía nada que hacer, excepto tomar el sol y charlar con el capitán para tenerle satisfecho.

Una mañana, el aragonés llegó con la noticia de[2] que había ratones en su casa. Se dirigió a González para resolver lo que[3] debía hacer.

—Mi[2] capitán, parece que aquí hay ratones.

—Pues, yo no he notado nada—le respondió tranquilamente el capitán.

—Yo le aseguro que si encuentro uno de esos animalitos, lo mato.

Cirilo se dirigió después a su mujer y le dijo:

—Esta noche[4] vas a ayudarme a matar un ratón que no me deja dormir. Parece que anda cerca de la mesa, en el cuarto del capitán.

—Pues, lo matamos[5]—le respondió su mujer—, porque si no, va a comerse los papeles y la ropa.

Esa noche, el capitán volvió del teatro, muy cansado. Se acostó y se durmió en seguida. El tío Cirilo, andando de puntillas,[6] va al cuarto de González y escucha. Vuelve inmediatamente y dice en voz baja:

—¡Mujer! ¡mujer!

—¿Qué?

—Vamos a[7] buscar el animalito, pero sin hacer ruido.

Los dos salen y van al cuarto del capitán, andando con mucho cuidado.

—¿Lo oyes? Ahí está. ¿No lo ves?

—Sí, ahí está—replica la mujer.

—¡Chist! ¿Encima o debajo?

—Encima de la mesa.

—A la izquierda, ¿verdad?

—Sí, escucha.

—Espera, voy a quitarme un zapato para matarlo.

—¡Cuidado!

—¡Chist! A la una, a las dos y ¡zas!

Con el ruido, el capitán se despertó. Se levantó de la cama y preguntó:

—¿Quién anda ahí?

—Soy yo,[8] mi[2] capitán—dice el tío Cirilo en voz baja.

—¿Qué diablos haces ahí a estas horas?

—¡He matado el ratón! Diciendo esto, enciende la lámpara y añade:

—Mire, mi[2] capitán. ¡Con uno de mis zapatos lo he matado!

El capitán se acerca a la mesa, y al ver[9] lo que[3] el tío Cirilo había hecho, le grita, muy irritado:

—¡Animal! ¡Imbécil! ¡Mi antiguo reloj de oro! ¡Un reloj que le[2] costó a mi padre cinco mil reales!

Adapted from Eusebio Blasco: *El ratón*

NOTES

[1] **del capitán** of captain (4a)
[2] Do not translate
[3] **lo que** what (28,6)
[4] **esta noche** tonight
[5] **lo matamos** we'll kill it
[6] **andando de puntillas** walking on tiptoe
[7] **vamos a** let us
[8] **soy yo** it is I
[9] **al ver** (57,3)

ACTIVE VOCABULARY

antiguo, -a old
ayudar to help
el cuarto room
ganar to earn
el oro gold
el papel paper
¿quién? who?
quitarse to take off
responder to answer
el sol sun
trabajar to work
la voz voice

CUESTIONARIO

1. ¿Era muy inteligente el tío Cirilo?
2. ¿Dónde trabajaba la mujer del tío Cirilo?
3. ¿Quién había venido a vivir con ellos?
4. ¿Qué tenía que hacer Cirilo?
5. ¿Qué había en la casa de Cirilo?
6. ¿Qué le respondió el capitán a Cirilo?
7. ¿Quién va a ayudar a Cirilo?
8. ¿En qué cuarto está el ratón?
9. ¿Cómo volvió el capitán del teatro?
10. ¿Qué van a buscar Cirilo y su mujer?
11. ¿Dónde está el ratón?
12. ¿Con qué mata Cirilo el ratón?
13. ¿Qué pregunta el capitán?
14. ¿Qué enciende Cirilo?
15. ¿Cuánto costó el reloj?

Strategy

LA ESTRATEGIA DE DON JOSÉ MARÍA

DON JOSÉ MARÍA, después de la cena, comienza a contar los hechos de su vida. Sus amigos le escuchan con interés. Todos saben que los cuentos de don José María son muy divertidos, aunque algo exagerados. Ha sido soldado,[1] y siempre recuerda sus aventuras en los países extranjeros.

—Un barco sin la artillería—empieza el viejo soldado —no es nada; pero es en la tierra, amigos míos,[2] donde

vemos lo que[3] puede hacer esta invención admirable de la inteligencia humana. En la batalla de Masdeu, ganamos nosotros por el buen manejo de la artillería.

—¿Cómo fué eso, don José?

—Pues, había recibido yo la orden de no comenzar el ataque hasta la llegada del General Ricardos, quien iba a darnos instrucciones más detalladas. Pero cuando viene una columna de franceses, hay que[4] hacer algo antes de perder una buena posición. Yo tenía sólo cuatro cañones, y los franceses eran muchos. ¿Qué hacer?

—Y ¿qué hizo Vd.?—interrumpió uno de sus amigos.

—Ya saben ustedes—continuó el héroe—que los franceses forman la línea con gran perfección: un soldado directamente tras otro. Este hecho fué nuestra salvación. Vi que la columna de los enemigos estaba ya muy cerca y en tal formación que nuestros disparos podían enfilarla[5] de un extremo a otro. Apunté bien con uno de los cañones a la cabeza del primer soldado, y ¡zas! la bala se llevó ciento cuarenta y dos cabezas. No cayeron más porque el extremo de la línea se movió un poco.

—¿De veras?

—¡Hombre, sí! Los franceses no comprendían mi estrategia, ni podían verme. Enviaron otra columna para atacar a nuestras tropas, y aquélla tuvo la misma suerte. Después enviaron otra, y otra, y otra, todo el día,[6] hasta que gané la batalla.

Adapted from Benito Pérez Galdós: *Trafalgar*

NOTES

[1] (5a)
[2] **amigos míos** my friends (17b)
[3] **lo que** what
[4] **hay que** one must, it is necessary
[5] **enfilarla** pierce it
[6] **todo el día** all day long

ACTIVE VOCABULARY

el **amigo** friend
aunque although
comprender to understand
enviar to send
formar to form
francés, -a French
hasta until
humano, -a human
mismo, -a same
nada nothing
la **tierra** land
la **vida** life

CUESTIONARIO

1. ¿Qué comienza a contar don José María?
2. ¿Cómo le escuchan sus amigos?
3. ¿Cómo son los cuentos de don José María?
4. ¿Qué ha sido don José María?
5. ¿Qué recuerda siempre don José María?
6. ¿Cómo ganaron ellos la batalla de Masdeu?
7. ¿Qué orden había recibido don José María?
8. ¿Quién iba a dar las instrucciones?
9. ¿Cuántos cañones tenía don José?
10. ¿Cómo forman la línea los franceses?
11. ¿Dónde estaba la columna de enemigos?
12. ¿Cuántas cabezas se llevó la bala?
13. ¿Qué se movió un poco?
14. ¿Qué suerte tuvo la otra columna?

UN POCO DE GRAMÁTICA

SIEMPRE recuerdo la singular figura de mi viejo profesor de gramática, don Emilio Llano Rodríguez. Celoso defensor de la pureza del lenguaje, no podía sufrir errores gramaticales de ninguna clase. La gramática era su único tema de conversación. Su manía llegó a tal extremo que se cambió el nombre[1] por otro «menos vulgar», como decía él, don Emilio *del* Llano *y* Rodríguez.

Siempre le veíamos llegar a la escuela con un gran libro bajo el brazo.

—Buen día, don Emilio—le decía el portero al entrar.

—Buenos días, José . . . y fíjate[2] cómo lo he dicho—contestaba el profesor, mirándole lleno de satisfacción.

En sus clases repetía sus explicaciones una y mil veces. A menudo,[3] se perdía en largos discursos sobre complementos, cláusulas dependientes y predicados. Terminaba al fin creyendo que había traído, él solo, la[4] luz a la especie humana. Al preguntar la lección el día siguiente los resultados eran desastrosos. Nadie le había prestado atención. Miraba a uno y a otro[5] conteniendo su ira:

—Pues, señores, esto es perder el tiempo. ¡Sois unos borricos!

Un día, vi que se acercaba a un campesino. Era su costumbre dar lecciones de gramática a todos los infelices que encontraba por las calles.

—¿Cómo está Vd., amigo Fuentes? ¿A qué debo la buena fortuna de verle por aquí?

—Es porque voy *para* Sevilla—dijo el campesino.

—Mal dicho. Debe Vd. decir: «voy *a* Sevilla.»

Y para disimular su excesiva franqueza:

—¿Qué negocios le llevan a Vd. allá?

—Voy a comprar burros *a* mi padre.

—Mal dicho. Debió Vd. decir: «*para* mi padre.»

El campesino se quedó pensativo. Don Emilio creyó que le había ofendido y, en voz conciliadora, le dijo:

—Señor mío, mis observaciones no le han molestado, ¿verdad?

—No, señor. Estaba sólo pensando si debía[6] decirle: Váyase *al* diablo o *para* el diablo.

Adapted from Ricardo Hernández: *Leyendas del Uruguay*

NOTES

[1] **se . . . nombre** he changed his name

[2] **fíjate** notice

[3] **a menudo** often

[4] Do not translate

[5] **miraba . . . otro** he looked from one to another

[6] **debía** I should

ACTIVE VOCABULARY

acercarse a to approach
allá there
contestar to answer
deber to owe, ought
encontrar to find, meet
esto this
la **figura** figure
la **luz** light
lleno, -a full
nadie no one, nobody
siguiente next, following
solo, -a alone
sufrir to suffer, to put up with

CUESTIONARIO

1. ¿Quién era don Emilio?
2. ¿Qué no podía sufrir don Emilio?
3. ¿Cuál era su único tema de conversación?
4. ¿Qué se cambió don Emilio?
5. ¿Con qué llegaba siempre a la escuela?
6. ¿Qué le decía el portero al entrar?
7. ¿Qué le contestó don Emilio?
8. ¿Repetía el profesor sus explicaciones?
9. ¿Eran buenos los resultados al día siguiente?
10. ¿A quién habló un día el profesor?
11. ¿Qué pregunta el profesor al campesino?
12. ¿A dónde va el campesino?
13. ¿Qué va a hacer allí?
14. ¿Qué creyó don Emilio?
15. ¿Han molestado las observaciones al campesino?

MIENTRAS EN CASA ESTOY, REY SOY

I

Entre mis recuerdos infantiles, conservo muy clara la memoria de aquella singular figura. Le llamábamos *El Cura de la Aldea.* Era un hombre de carácter inflexible y de firmes convicciones. Había luchado en la guerra carlista, y se decía[1] que había tenido más de[2] una disputa con las autoridades superiores.

Vivía en el piso principal de una vieja casa. En el piso bajo, Ramiro y Encarnación habían instalado una taberna que no dejaba a nadie en paz con sus ruidos, gritos y risas.

Una noche en que el ruido se hacía insoportable dijo el cura a su ama:

—Baja, Basilisa, y diles[3] a Ramiro y Encarnación que no me dejan dormir. Necesito tranquilidad y sueño.

La buena mujer se dirigió en seguida a la taberna. Como buena gallega, se plantó frente a los dueños y les dijo:

—¿No sabéis que el Padre José necesita descanso a estas horas?

Hubo[4] burlas y risas. Encarnación, que tampoco tenía[5] muy buen genio, le respondió:

—Pues dile[3] al Padre José que cada uno hace en su casa lo que le da la gana.[6]

Después de un inútil intercambio de palabras, el ama se retiró. El ruido continuó tal como antes.

—Bueno, Basilisa, dejemos esto para mañana. Mañana irás a casa de Ciriaco, el hombre que trabaja para el Ayuntamiento, a decirle que deseo hablar con él en seguida.

II

Vino Ciriaco y el cura le dió esta orden:

—Al terminar hoy el trabajo, manda a un peón con uno de esos pisones para pavimentar las calles.

—Son muy pesados, señor cura.

—Precisamente, el más pesado es el que[7] yo necesito.

Llegó la noche. Ya el gran pisón estaba en casa del señor cura. En la taberna hubo gritos y risas, como de costumbre,[8] hasta la una de la noche. Cuando los esposos cerraron las puertas y se preparaban para descansar, el cura cogió el pisón, y empezó a dar tremendos golpes sobre el piso.

La casa temblaba y amenazaba caerse de un momento a otro; parecía que andaban[9] por ella todas las furias del infierno. Ramiro y Encarnación se levantaron aterrados. Empezaron otra vez los golpes, pero esta vez con más furia. Aquello era peor que una tempestad con truenos y relámpagos.

—Ramiro, corre a casa del Padre José—dijo Encarnación—, porque si esto continúa iremos a parar[10] en el cementerio. El señor cura está loco.

Ramiro salió a la calle y llamó al Padre José. Éste, sacando la cabeza por la ventana, le dijo con voz muy amable:

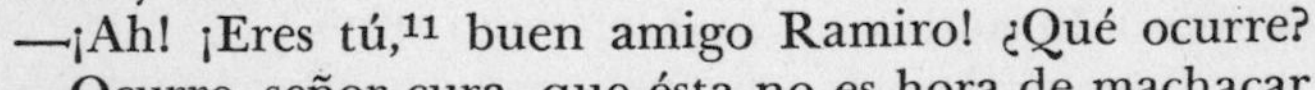

—¡Ah! ¡Eres tú,[11] buen amigo Ramiro! ¿Qué ocurre?

—Ocurre, señor cura, que ésta no es hora de machacar piedras en casa.

—Cada uno trabaja cuando puede.

—Pero no es justo despertar a los vecinos.

—Eso creo yo también; pero cada uno hace en su casa lo que le da la gana, como tú dices.

Desde la noche siguiente hubo[4] paz y orden en la taberna.

Adapted from Adeflor: *Cada cual en su casa*

NOTES

[1] **se decía** it was said
[2] **más de** more than (59, 2)
[3] **dile, diles** tell
[4] **hubo** there was, there were (47)
[5] **tampoco tenía** did not have . . . either (30)
[6] **lo que le da la gana** what he pleases
[7] **el que** the one that
[8] **como de costumbre** as usual
[9] **andaban** there walked
[10] **iremos a parar** we shall end up
[11] **eres tú** it is you

ACTIVE VOCABULARY

andar to walk, to go
bajar to descend, go down
cada each
cerrar to close
claro, -a clear
dirigirse a to go
es hora de it is time to
la **guerra** war
mañana tomorrow
necesitar to need
el **orden** order
la **paz** peace
peor worse
terminar to end
la **ventana** window

CUESTIONARIO

I

1. ¿Quién era el cura?
2. ¿Con quiénes había tenido disputas?
3. ¿Dónde vivía el cura?
4. ¿Quiénes vivían en el piso bajo?
5. ¿Qué necesita el cura?
6. ¿A dónde se dirigió Basilisa?
7. ¿Qué le respondió Encarnación?
8. ¿Continuó el ruido?
9. ¿Quién es Ciriaco?
10. ¿Qué desea hacer el cura con Ciriaco?

II

1. ¿Cómo son los pisones?
2. ¿Qué hubo en la taberna aquella noche?
3. ¿Cómo eran los golpes?
4. ¿Cómo se levantaron los esposos?
5. ¿Cómo eran los golpes la segunda vez?
6. ¿Qué le dijo Encarnación a su esposo?
7. ¿Qué pregunta el cura a Ramiro?
8. ¿Cuándo desea trabajar el cura?
9. ¿Qué no es justo?
10. ¿Qué hubo en la taberna desde la noche siguiente?

RIMAS

I

Los suspiros son aire, y van al aire,
Las lágrimas son agua, y van al mar.
Dime, mujer: cuando el amor se olvida,[1]
¿Sabes tú a dónde va?

II

¿Qué es poesía? dices mientras clavas
En mi pupila tu pupila azul;
¿Qué es poesía? ¿Y tú me lo preguntas?
Poesía . . . eres tú.

Gustavo Adolfo Bécquer

[1] se olvida is forgotten

LOS TRES CUERVOS

I

—¡Mi[1] GENERAL!

—¡Mi[1] coronel!

—Es mi deber comunicarle que ocurren cosas muy extrañas en el campamento. Sé, de una manera positiva, que uno de nuestros soldados se sintió ligeramente enfermo; después experimentó terribles dolores porque tenía tres cuervos vivos en el estómago.

—¿Tres qué?

—Tres cuervos, mi general.

—¡Canastos!

—¿No cree Vd. que éste es un caso muy extraño?

—¡Extraño, sí!

—¿Y qué le parece a Vd.?

—¡Coronel, no sé qué decir! Voy a comunicarlo en seguida al Ministerio de la Guerra. Conque son . . .

—Tres cuervos, mi general.

—Pero, ¿está Vd. seguro?

—Sí, mi general; son tres cuervos.

—Vd. los vió, ¿no es verdad?

—No, mi general; pero son tres cuervos.

—Es posible. ¿Quién le informó a usted?

—El comandante Epaminondas.

—Hágale[2] venir en seguida, mientras yo transmito la noticia.

—En seguida, mi general.

II

—¡Comandante Epaminondas!

—¡Presente, mi general!

—¿Qué historia es esa de los tres cuervos que tiene uno de nuestros enfermos?

—¿Tres cuervos?

—Sí, comandante.

—Yo sé de dos, mi general; pero no de tres.

—Bueno, dos o tres, poco importa. Sólo deseo saber si en realidad son cuervos.

—Sí, mi general.

—¿Dos cuervos?

—Sí, mi general.

—¿Y cómo ha ocurrido eso?

—Pues, la cosa más sencilla del mundo, mi general. El soldado Pantaleón tiene una novia en su pueblo que, según dicen, es una morena con mucha sal . . . y pimienta.[3] ¡Qué ojos, mi general! . . . ¡Parecen dos estrellas! ¡Qué boca! ¡Qué sonrisa! Tiene un hoyito delicioso en cada mejilla, y . . .

—¡Comandante!

—¡Presente, mi general!

—Omita todo detalle inútil.

—¡A la orden, mi general!

—Pues bien: el muchacho estaba triste pensando en ella, y no quería comer nada, hasta que cayó enfermo del estómago,[4] porque dicen que tenía dos cuervos en el estómago . . .

—¿Los vió Vd.?

—No, mi general. Yo sólo repito lo que oí.

—¿Y quién le dió a usted la noticia?

—El capitán Aristófanes.

—¡Al fin . . . ![5] Quiero hablar con él inmediatamente.

—¡En seguida, mi general!

III

—¡Capitán Aristófanes!

—¡Presente, mi general!

—¿Cuántos son los cuervos del soldado Pantaleón?

—Uno, mi general.

—El comandante dice que son dos, y antes me habían dicho que eran tres.

—No, mi general, es sólo uno, afortunadamente; pero

me parece que uno basta para considerar el caso como un fenómeno singular.

—Creo lo mismo, capitán.

—El cuervo, mi general, es algo muy común, si lo consideramos desde el punto de vista zoológico. ¿Qué es el cuervo? No debemos confundirlo con el cuervo europeo, que es el *corvus corax* de Linneo. La especie que conocemos aquí está incluida en otra familia; pero tenemos en este caso el verdadero y legítimo *Sarcoranfus,* que es muy diferente del *vultur papa,* del *catartus,* y aún del *californianus.* Sin embargo, algunos zoólogos creen . . .

—¡Capitán!

—¡Presente, mi general!

—¿Estamos en una clase de historia natural?

—No, mi general.

—Entonces, a nuestro asunto: el cuervo del soldado Pantaleón.

—Es un hecho positivo, mi general.

—¿Lo vió Vd.?

—No, mi general, pero lo supe[6] por el teniente Pitágoras, quien fué testigo del hecho.

—Está bien. Quiero ver en seguida al teniente Pitágoras.

—Muy bien, mi general.

IV

—¡Teniente Pitágoras!

—¡Presente, mi general!

—¿Qué sabe Vd. del cuervo . . . ?

—¡Oh, mi general! El caso es raro, pero ha sido muy exagerado.

—¿Cómo?

—Porque no es un cuervo entero sino una parte de un cuervo solamente. El soldado Pantaleón sólo se había comido una ala de cuervo. Yo, como es natural, me sorprendí mucho, y fuí a informar a mi capitán Aristófanes; pero parece que él no oyó la palabra *ala,* y creyó que era un cuervo entero; él llevó la noticia a mi comandante Epaminondas, quien entendió que eran dos cuervos; llegó después la noticia al coronel Anaximandro, quien creyó que eran tres.

—Pero . . . ¿y[7] esa ala . . . ?

—Yo no la he visto, mi general, pero el sargento Esopo, sí.

—¡Ah, diablos! ¡Llame al sargento Esopo!

V

—¡Sargento Esopo!

—¡Presente, mi general!

—¿Qué tiene[8] el soldado Pantaleón?

—Está enfermo, mi general.

—Pero ¿qué tiene?

—Dolores de estómago, mi general.

—¿Desde cuándo?

—Desde ayer, mi general.

—¿Y qué historia es ésa del ala del cuervo?

—Él no se ha comido ninguna ala, mi general.

—Entonces, . . . borrico . . . ¿por qué has dado la noticia de que el soldado Pantaleón se había comido una ala de cuervo?

—Con perdón, mi general, cuando era chico aprendí unos versos que dicen:

> Yo tengo una muchachita
> Que tiene los ojos negros,
> Y negros son sus cabellos
> *Como las alas del cuervo.*
> Yo tengo una muchachita . . .

—¡Basta, animal!

—Bueno, mi general, lo que pasó fué que cuando vi a mi compañero enfermo, me acordé de los versos, y dije que seguramente se había comido algo «negro como las alas del cuervo.»

—¡Diablos!

—Eso fué todo, mi general.

—¡Retírate en seguida!

El bravo jefe se dió un golpe en la frente y dijo:

—¡Buena la hemos hecho![9] ¡Creo que puse cinco o seis cuervos en mi información al Ministerio.

Adapted from José A. Campos: *Los tres cuervos*

NOTES

[1] **mi** do not translate

[2] **hágale** have him (causative construction)

[3] **con . . . pimienta** very witty and lively

[4] **cayó . . . estómago** became sick to his stomach

[5] **¡al fin!** at last

[6] **supe** I learned

[7] **¿y . . . ?** and what about . . . ?

[8] **¿qué tiene . . . ?** what is the matter with . . . ?

[9] **¡Buena la hemos hecho!** A fine mess I've made of it!

ACTIVE VOCABULARY

aún even
ayer yesterday
la **boca** mouth
conocer to know
conque so then
la **frente** forehead
la **historia** history, story
negro, -a black
oír to hear
el **ojo** eye
presente present
el **punto** point
¿qué le parece a Vd.? what do you think of it?
según dicen as they say
seguro, -a sure, certain
vivo, -a live, alive

CUESTIONARIO

I

1. ¿Dónde ocurren cosas muy extrañas?
2. ¿Cómo se sintió uno de los soldados?
3. ¿Qué experimentó el soldado?
4. ¿Qué tenía el soldado en el estómago?

II

1. ¿Cuántos son los cuervos ahora?
2. ¿Qué tiene el soldado Pantaleón en su pueblo?
3. ¿Quién es la novia del soldado?
4. ¿Cómo son los ojos de la muchacha?
5. ¿Por qué no quería comer nada el soldado?

III

1. ¿Qué dice el capitán acerca de los cuervos?
2. ¿Cómo considera el caso el capitán?
3. ¿Qué dice el capitán sobre el cuervo?
4. ¿Qué pregunta el general al capitán?
5. ¿Qué dice el capitán sobre el cuervo del soldado?

IV

1. ¿Tenía el soldado un cuervo entero en el estómago?
2. ¿Qué se había comido el soldado Pantaleón?
3. ¿A quién informó el teniente?
4. ¿Qué no oyó el capitán Aristófanes?
5. ¿Quién viene después a hablar con el general?

V

1. ¿Qué tiene el soldado Pantaleón?
2. ¿Desde cuándo está enfermo?
3. ¿Se había comido una ala el soldado?
4. ¿Qué aprendió el sargento cuando era niño?
5. ¿Cuántos cuervos puso en su información el general?

LOS DOS SANTOS

ALGO serio ocurría en la aldea. Los vecinos ya no[1] murmuraban del casamiento de la hija de Xico, ni daban importancia al segundo matrimonio de Juana; hasta[2] olvidaron el pleito de la aldea con la población vecina.

El tema de toda discusión era algo de muchísima más importancia, pues los aldeanos formaban grupos y discutían horas y horas.

—Este año—decía uno—, no puede quedar así.

—Hay que dar al santo lo suyo[3]—decía otro.

—Dice Vd. bien[4]—afirmaba un tercero.

Los que hablaban eran tres aldeanos, representación genuina de la inculta población: uno, el mayordomo, encargado de las fiestas en honor del santo de la aldea; el segundo, el alcalde, quien nunca había tenido ocasión de ejercer su autoridad en diez años; y el tercero, el vecino más rico del lugar.

Se dirigieron los tres aldeanos a la casa del señor cura. Cuando el ama abrió la puerta, preguntaron casi al mismo tiempo:

—¿Se puede?[5]

—¿Está el señor cura?[6]

—¿Nos da permiso?

—Adelante[7]—contestó una voz dulce.

El buen cura los recibió sentado detrás de una vieja mesa.

—Siéntense, señores, y díganme qué desean. Ya saben que si de mí depende el asunto, estoy pronto a servirles.

Los aldeanos se miraron un poco confundidos, y después de un largo silencio, presentaron el problema.

—El caso es—dice al fin el alcalde—que, como Vd. sabe, señor cura, hacemos la fiesta a dos santos en un mismo día.

—Eso es—afirma el mayordomo—; a[8] San Juan y a[8] San Medero.

—Y los predicadores—añade el rico—sólo mencionan a San Juan, y eso no está bien.

—A mí me parece—arguye suavemente el cura—que la persona encargada del sermón no favorece a ninguno de los dos. Si Vds. creen que nombra más a Juan que a Medero . . . es posible, porque el tema es muy hermoso.

—Así es—exclama el mayordomo. —Venimos aquí para evitar el olvido este año. El año pasado hablamos de esto al predicador, pero no nos prestó la menor atención. Sólo se acordó de San Juan, olvidando a San Medero.

—Entonces ¿qué proponen Vds. para evitar ese olvido? —preguntó el cura.

—Ya hemos resuelto el problema. Entre los tres podemos arreglar el asunto. Como nadie debe trabajar sin recibir su paga, pensábamos . . . ¿me comprende?

El paisano habla ahora en voz baja. El señor cura le mira con sorpresa.

—Sí, señor cura, con ello todos quedaremos contentos. Éste—señalando al alcalde—, que sabe de letras y pluma,[9] puede apuntar cada mención del nombre de San Medero . . . por cada mención una raya. Después, contando las rayas, podríamos pagar . . .

Otra vez habla en voz muy baja. El cura mueve la cabeza en sentido negativo ante tal proposición de carácter monetario; se levanta sonriendo, y les dice con aire jovial:

—Queridos vecinos, son Vds. el pecado mismo.[10] ¡Las cosas que se les ocurren! Yo le[8] hablaré al predicador y pierdan cuidado.

Salen los aldeanos de la casa, muy satisfechos. En seguida entra el predicador encargado del sermón.

—¿Comisión de vecinos?—pregunta al entrar.

—Sí; hablaban precisamente de su próximo sermón.

—¿No están contentos?

—¡No es eso! Vinieron sólo porque desean oír más el nombre de San Medero . . . ellos son devotos y agradecidos, y hasta dijeron que si Vd. mencionaba más a San Medero, «no le pesaría.»

El predicador comprende las intenciones de los aldeanos, y se dispone a darles una lección.

Llegó el día de la fiesta. En primera fila estaban el mayordomo, el alcalde y el rico. Comenzó el sermón con las ceremonias de costumbre. Siguió después una larga alabanza de San Juan. El nombre de San Medero no aparecía por ninguna parte,[11] y los tres aldeanos daban muestras de gran impaciencia.

—¡Ah! ¡Ah! queridos hermanos—exclamó al fin el predicador con exaltación. —No es San Juan el único protector de este pueblo; también San Medero nos protege.

El alcalde anotó la primera raya.

—Sí, amados hermanos—continuó—; San Medero, el mártir; San Medero, el justo; San Medero, el virtuoso; San Medero, el sabio; San Medero, el noble; aquí todo canta a San Medero. Medero dice el agua; Medero murmura la fuente; Medero exclaman las flores; Medero dicen los árboles; Medero cantan los pájaros. Todo habla de San Medero, y el eco repite en las montañas Medero, Medero, Medero . . .

—Basta, basta, basta—gritó el alcalde. —Basta, no siga más. ¡No hay más fondos!

Adapted from Pachín de Melás: *Medero, murmura la floresta . . .*

NOTES

[1] **ya no** no longer
[2] **hasta** even
[3] **lo suyo** his due
[4] **Dice Vd. bien** you are right
[5] **¿se puede?** may we come in?
[6] *Supply:* at home
[7] **adelante** come in
[8] Do not translate
[9] **que . . . pluma** who knows how to read and write
[10] **mismo** itself
[11] **por ninguna parte** anywhere

ACTIVE VOCABULARY

acordarse de to remember
el año pasado last year
el asunto subject, matter
el cura priest
exclamar to exclaim
la fuente spring, fountain
el hermano brother
ocurrir to happen, occur
pensar to think
la persona person
presentar to present
rico, -a rich
el santo saint
el tiempo time, weather

CUESTIONARIO

1. ¿Qué ocurría en la aldea?
2. ¿A qué no daban importancia los vecinos?
3. ¿Qué olvidaron?
4. ¿Quiénes formaban grupos?
5. ¿Quiénes eran los que hablaban?
6. ¿Quién era el encargado de las fiestas?
7. ¿A dónde se dirigieron los aldeanos?
8. ¿Qué preguntaron casi al mismo tiempo?
9. ¿Dónde estaba sentado el señor cura?
10. ¿A qué santos hacen la fiesta en un mismo día?
11. ¿De quién se acuerdan los predicadores?
12. ¿Por qué nombran más a San Juan?
13. ¿Para qué vinieron los aldeanos?
14. ¿Qué han resuelto ya los aldeanos?

15. ¿Quién debe apuntar cada mención del nombre de San Medero?
16. Contando las rayas, ¿qué podrían hacer?
17. ¿Qué hace el cura ante tal proposición?
18. ¿A quién va a hablar el cura?
19. ¿Cómo salen los aldeanos?
20. ¿Qué pregunta el predicador al entrar?
21. ¿Qué comprende el predicador?
22. ¿Dónde estaban sentados los tres aldeanos?
23. ¿Con qué comienza el sermón?
24. ¿Dónde aparecía el nombre de San Medero?
25. ¿Qué gritó el alcalde al fin?

LA PANTORRILLA DEL COMANDANTE

I

FRAGMENTO DE UNA CARTA DEL TERCER JEFE DEL BATALLÓN OTUMBA AL SEGUNDO COMANDANTE DEL BATALLÓN GERONA

Cuzco, 3 de diciembre de 1822.

Mi querido compañero:

Aprovecho la ocasión del viaje del capitán don Pedro Uriondo para enviarte esta carta.

. . . .

Uriondo es un andaluz muy divertido, y te lo recomiendo muy en especial.[1] Es una excelente persona. Sólo tiene la manía de hacer apuestas con todo el mundo; lo peor es que siempre las gana. No debes, pues, hacer apuestas con él porque seguramente perderás.

Siempre tuyo,

Juan Echerry

II

CARTA DEL SEGUNDO COMANDANTE DEL BATALLÓN GERONA A SU AMIGO ECHERRY

Sama, 30 de diciembre de 1822.

Mi querido amigo:

Te doy las gracias por haberme dado la ocasión de conocer al capitán Uriondo. Es un muchacho excelente y un buen amigo. Desde que está aquí, es el favorito de todos los oficiales. ¡Qué bien canta! ¡Y qué bien toca la guitarra!

Siento decirte que su reputación en ganar apuestas va de mal en peor. El otro día sostuvo que la vacilación que tengo al andar no dependía del balazo que recibí, como tú sabes, en una batalla. Él afirmaba que la causa era un lunar que yo debía de[2] tener en la pantorrilla izquierda. Eso era absurdo, pues yo mejor que nadie sé qué tengo y qué no tengo en el cuerpo. Él insistió, y hasta[3] se atrevió a apostar seis onzas para convencerme de mi error. Por supuesto, no quise aceptar, porque eso era robarle el dinero. Él, sin embargo, siguió insistiendo en su afirmación. Los oficiales que estaban conmigo, al ver la insistencia de Uriondo, me decían en coro: —¡Vamos, Comandante! ¡Aproveche la ocasión! ¡Esas onzas le caen del cielo!

¿Qué podía hacer? Tuve que aceptar la apuesta aunque sabía que mi acción no era la más correcta. Les mostré la pierna a Uriondo y a todos los[4] presentes, y ¡es natural! gané la apuesta. Uriondo se puso rojo, pero me dió las onzas. Quise rehusar, pero él insistió en declarar que yo las había ganado en toda regla.[5]

Me llaman en este momento. Pronto te escribiré otra vez.

Tu amigo,

Domingo Echizárraga

III

CONTESTACIÓN DEL TERCER JEFE DEL BATALLÓN OTUMBA A SU AMIGO EL COMANDANTE ECHIZÁRRAGA

Cuzco, 10 de enero de 1823.

Compañero:

Desde ayer tengo treinta onzas menos en el bolsillo. El Capitán Uriondo me había apostado a mí que te haría mostrar la pantorrilla el día de los Inocentes.

Te perdono el olvido de mi recomendación.

Juan Echerry

Adapted from Ricardo Palma: *La pantorrilla del comandante*

NOTES

[1] **en especial** specially
[2] **debía de** I must
[3] **hasta** even
[4] **los** those
[5] **en toda regla** in all fairness

ACTIVE VOCABULARY

aprovechar to profit, to take advantage of
cantar to sing
la **carta** letter
la **causa** cause
desde from, since
el **error** error, mistake
mejor better
mostrar to show
la **ocasión** opportunity
otra vez again
pues well, since
tocar to play (a musical instrument)
todo el mundo everyone
el **viaje** trip

CUESTIONARIO

I

1. ¿Qué desea enviar Echerry a su amigo?
2. ¿Quién es Uriondo?

3. ¿Qué manía tiene Uriondo?
4. ¿Con quién hace apuestas Uriondo?
5. ¿Quién gana siempre las apuestas?
6. ¿Qué dice Echizárraga de Uriondo?
7. ¿Cómo canta el mozo?
8. ¿Qué toca bien Uriondo?
9. ¿Dónde recibió Echizárraga el balazo?
10. ¿Cuál era la causa de la vacilación, según Uriondo?
11. ¿Qué se atrevió a apostar Uriondo?
12. ¿Por qué no quería Echizárraga aceptar la apuesta?
13. ¿En qué insistía Uriondo?
14. ¿Qué tuvo que aceptar Echizárraga?
15. ¿Qué sabía muy bien Echizárraga?
16. ¿Qué mostró él a Uriondo?
17. ¿Cuántas onzas menos tiene Echerry?
18. ¿Qué le perdona Echerry a su amigo?

LA REINA

El jefe de estación daba las últimas órdenes. Un muchacho corría tras él con una gruesa campanilla en la mano.

En ese momento entramos en el andén, y subimos rápidamente a un coche de segunda clase.

—Buenas tardes.

—¡Muy buenas![1]—nos respondieron dos viejos que hablaban entre sí.

El uno tendría[2] cerca de sesenta años, pero nadie lo creería; tenía el aspecto robusto, el pelo casi negro y la cara sin arrugas. El otro era mucho más joven, más delicado, pero bien curtido por la fuerte brisa de la montaña.

Hablaba el más viejo con gran entusiasmo. Nosotros oíamos llenos de asombro.

—¡Chico del alma, estoy muy satisfecho! Soy el hombre más feliz de la tierra . . . ¡Hay que verla! Entró en mi casa hace[3] unos seis meses, y desde entonces no tengo envidia a nadie.

—Pero ¿tan hermosa es?

—¿Hermosa? ¡Una preciosidad! Joven, limpia y bien hecha. ¡Unos ojos! Azules claros, con una mirada como no hay otra. ¡Estoy enamorado! como se dice.

¡Caracoles! Aquello nos interesaba. ¿Era posible? Lo peor no estaba en la descripción sino en la edad del descritor. Éste continuó, entusiasmado:

—¡Nada,[4] hombre! En casa todos se quedan contemplándola. Y lo merece, porque es buena, cariñosa, y sobre todo a mí me quiere más que a nadie.

—¡Qué feliz! ¿eh?

—Cuanto uno puede ser en este mundo. Luego que la llevé a casa, eché[5] a la vieja a un rincón y dije, señalando a la joven: ¡ésta es la reina!

Nos quedamos atónitos. Ya no había duda. Él acababa de confesarlo. Pero ¿podría creerse aquello?

Y por fin, ante nuestro asombro, el viejo terminó la frase:

—¡Ésta es la reina . . . de todas las novillas del lugar!

Adapted from Benito A. Buylla: *¡El ama!*

NOTES

[1] *Supply:* afternoon
[2] **tendría** (conditional of probability) must have been
[3] **hace** ago
[4] **¡nada!** why!
[5] **echar a un rincón** to discard

ACTIVE VOCABULARY

acabar de to have just
buenas tardes good afternoon
la **clase** class
la **edad** age
feliz happy
la **frase** sentence
fuerte strong
hay que it is necessary to
merecer to deserve
el **pelo** hair
señalar to point
sino but

CUESTIONARIO

1. ¿Qué daba el jefe de estación?
2. ¿Quién corría tras él?
3. ¿Qué tenía el muchacho en la mano?
4. ¿Cómo subimos al coche?
5. ¿De qué clase era el coche?
6. ¿Qué respondieron los viejos?
7. ¿Cuántos años tendría uno de ellos?
8. ¿Cómo era su aspecto?
9. ¿Cómo era el otro?
10. ¿Cuál de los dos hablaba?
11. ¿Cómo hablaba él?
12. ¿Cómo oíamos nosotros?
13. ¿Es ella hermosa?
14. ¿Cómo son sus ojos?
15. ¿Quiénes se quedan contemplándola?
16. ¿Por qué lo merece ella?
17. ¿Es muy feliz el viejo?
18. ¿A quién echó él a un rincón?
19. ¿Qué terminó el viejo?
20. ¿Quién es la reina?

LOS LIBROS DEL GENERALITO

FUÉ en Montevideo en el año 1886. El general Tajes, aunque hombre de armas, dedicaba buena parte de su tiempo al estudio; conocía las buenas obras de su época y las poseía en su magnífica biblioteca particular.[1] En la selección de los libros había colaborado con él su secretario particular.

Al principio, muchos de los militares que venían a la casa del general miraban con sorpresa aquella enorme biblioteca. Sin embargo, poco a poco se acostumbraron a ella; hasta llegaron a[2] pensar que aquellos libros habían contribuido a las glorias de Tajes. Desde entonces vino la moda de las bibliotecas particulares. Militares viejísimos, algunos de los cuales apenas sabían escribir, poseían las mejores bibliotecas del país.

Uno de los oficiales de aquel tiempo, a quien llamaban *el Generalito*, no queriendo ser menos que[3] sus compañeros, llamó a su secretario y le dijo:

—López, aquí tiene Vd. dinero. Cómpreme una buena biblioteca.

El joven fué a las librerías y escogió todos aquellos libros que deben figurar en la biblioteca de una persona distinguida. *El Generalito* se asombraba al contemplar tantos libros en su despacho.

—Ahora, hay que ponerlos en los estantes—se dijo para sí, con orgullo y vanidad.

A pesar de tener tantos libros *el Generalito* no estaba satisfecho. Al entrar en su despacho sentía cierto malestar, viendo su biblioteca, ya colocada en los estantes. La disciplina militar a que estaba acostumbrado no podía tolerar aquella falta de uniformidad.

Queriendo dar su opinión, le dijo a su secretario:

—Óigame Vd., López; no sé por qué cuando miro los libros grandes al lado de los pequeños me parece que veo una fila de soldados de distinta altura.

El joven le explicó que eso no tenía importancia. Pero

el Generalito no quedó satisfecho con la explicación de su secretario.

Un día, no pudiendo resistir[4] aquella falta de disciplina en su biblioteca, hizo un esfuerzo, llamó a su secretario y le dijo con mucha autoridad, como dando una orden militar:

—Señor López, esos libros de mi biblioteca son muy feos. Llame Vd. al librero que los hizo. Los libros deben ser todos iguales. ¿No ve Vd. la falta de orden? Yo los quiero todos del mismo tamaño.

El secretario le explicó entonces que los libros no podían ser todos iguales, que era imposible hacerlos de nuevo, y que no había libros de la clase que él quería.

—¡Bueno!—dijo *el Generalito,* creyendo comprender las ideas del secretario. —Está bien. Llame Vd. a ese librero para cortarlos todos a la misma altura. ¿Me comprende?

Adapted from Ricardo Hernández: *Leyendas del Uruguay*

NOTES

[1] **particular** private
[2] **llegaron a** got to
[3] **menos que** inferior to
[4] **resistir** to endure

ACTIVE VOCABULARY

a pesar de in spite of
apenas scarcely
entonces then
el **estudio** study
la **falta** lack
feo, -a ugly
igual same
imposible impossible
el **librero** bookseller
la **obra** work
la **opinión** opinion
particular private
querer to want, wish
sin embargo nevertheless
venir to come

CUESTIONARIO

1. ¿Quién era Tajes?
2. ¿Qué conocía el general Tajes?
3. ¿Quién había colaborado con él?
4. ¿Cómo miraban los militares la biblioteca del general?
5. ¿Quiénes poseían las mejores bibliotecas?
6. ¿Quién era *el Generalito*?
7. ¿Qué quería comprar *el Generalito*?
8. ¿A dónde fué el joven?
9. ¿Dónde hay que poner los libros?
10. ¿Qué sentía *el Generalito* al entrar en su despacho?
11. ¿A qué estaba acostumbrado *el Generalito*?
12. ¿Qué no podía tolerar?
13. ¿Qué le parecen los libros al general?
14. ¿Con qué no quedó satisfecho *el Generalito*?
15. ¿Qué no podía resistir más?
16. ¿Cómo quiere el general todos los libros?
17. ¿A quién debe llamar el secretario?
18. ¿Para qué debe llamarlo?

ARABESCO

OYENDO hablar a un hombre, fácil es
acertar dónde vió la luz del sol:
si os alaba a Inglaterra, será inglés;
si os habla mal de Prusia, es un francés;
y, si habla mal de España, es español.

—Bartrina

VERDAD DE LAS TRADICIONES

I

Vi una cruz en despoblado
un día que al campo fuí,
y un hombre me dijo: —Allí
mató a un ladrón un soldado.

II

Y . . . ¡oh! ¡pérfida tradición!
cuando del campo volví,
otro hombre me dijo: —Allí
mató a un soldado un ladrón.

—Campoamor

EL DOCTOR BELMAR

I

EL DOCTOR don Andrés Belmar era un viejo amigo de mi familia. Él me conocía desde que vine al mundo; él me había visto crecer; él había venido a verme cuando estuve enfermo; él me había dado tónicos, hierro, quinina, etc., etc.

El doctor creía conocer mi organismo perfectamente y afirmaba que yo tenía síntomas de locura. Durante cuatro años sostuvo que yo acabaría mis días en un sanatorio.

La[1] locura era su tema favorito. Alguien le había llamado «eminente alienista» en una revista mejicana y desde entonces don Andrés veía síntomas de locura por todas partes.

Un día resolví explotar en mi beneficio la manía del doctor Belmar. Le conté en secreto que yo, a veces, perdía la[2] razón; que cuando veía un cuchillo quería matar a alguien, y que en la estación sentía deseos irresistibles de arrojarme delante de la locomotora.

Al día siguiente, noté que en casa habían desaparecido todos los cuchillos y que todos observaban mis más insignificantes movimientos. Por la noche me dijeron que no debía asistir a las clases de la universidad y que, por el contrario, debía sólo «distraerme.»

¿Qué más podía yo desear?

II

Todo se olvida.[3] Olvidé que había un hombre convencido de mi triste condición, aunque noté en más de una ocasión que en casa me observaban como tratando de descubrir mi estado mental.

Un día cogí un fuerte resfriado y caí enfermo. Tras el resfriado, vino una fiebre tifoidea. La convalescencia fué larga y el doctor me recomendó un viaje a Valparaíso. Allí, el aire del mar produciría el restablecimiento de mi salud.

Se hicieron[4] los preparativos. Al día siguiente partí con una vieja tía que me quería como a un hijo.

. . . .

Llegamos al hotel. Mi tía creía ciegamente todas las extravagantes ideas de Belmar. Creía, pues, la pobre y querida vieja, que si yo no era loco, estaba a punto de serlo.

Un día estaba en mi habitación sentado en una silla. Miraba por la ventana el movimiento de la calle. Mi tía

leía en voz alta el martirio de San Ildurito, historia que yo había aprendido casi de memoria.

En esta situación, me molestó el cuello de la camisa, y comencé a mover la cabeza. Mi tía dejó el libro y me miró aterrada. Comprendí entonces que la sospecha de mi locura había pasado rápidamente por su mente. Con mala intención, y para no oír más la historia de San Ildurito, seguí moviendo la cabeza poniendo los ojos en blanco.[5] Dejó mi tía el libro en una silla y salió corriendo. Yo seguí mirando por la ventana muy tranquilo. Unos momentos después, volvió la señora; retiró un poco su silla y siguió con la lectura.

Todo lo comprendí cuando llegó el doctor Belmar al hotel. La pobre señora le había llamado por telégrafo diciéndole que seguramente yo había tenido un ataque. Comprendí entonces que mi situación era muy delicada, y que había cometido un grave error.

Aquella tarde, a la hora de comer, mi tía y el doctor bajaron al comedor del hotel dejándome a mí en cama.

III

Para «distraerme,» comencé a leer un número del *Illustrated London Times*. Hacía mucho rato que[6] mi tía y el doctor se habían ido a comer. La lámpara del gas hacía un ruido monótono; llegaban hasta mí los ruidos de la calle y del interior del hotel en forma de conversaciones, risas, pasos y golpes de platos y cuchillos.

De repente, sentí un ruido extraño y la puerta comenzó a abrirse lentamente. Esperé un instante creyendo que era el viento. Pero alguien se mueve y entra.

Yo salto en la cama. Lo que tenía ante mis ojos no era un hombre; era un monstruo: bajo, deforme, la cara pálida, los ojos enormes. El recién llegado se había detenido, con un dedo en los labios, como queriendo decirme: «¡No grite usted!»

¿Qué era aquello? ¿Qué significaba la misteriosa visita de aquel horrible individuo? Comenzó a caminar de puntillas[7] en dirección a mi cama, mientras yo me retiraba hacia la pared. El monstruo se acercó, me miró fijamente, y se escondió debajo de la cama.

Confieso que si antes aquel monstruo me había parecido horrible, ahora me pareció algo peor. ¿Sería[8] un anarquista que venía a matarme con una bomba? ¿Sería[8] un ladrón? ¿Podría[8] ser . . . ?

En esos momentos entraba el doctor.

—¿Cómo está el enfermo?—preguntó.

—¡Doctor, doctor!—digo yo aterrado. —¡Doctor! ¡Debajo de mi cama hay un hombre! ¡No, un monstruo! ¡Sáquenlo, porque me muero!

Pintar el asombro del pobre Belmar es imposible. El terror, la lástima, la desesperación, todo se veía[9] en su cara pensativa.

—¡Calma, hijo mío!—me dijo. —¡Calma! Vd. está un poco excitado. Vd. ha leído algo fantástico. ¡Calma, por Dios!

—Doctor—grité yo con energía—¡mire debajo de la cama . . . un jorobado, un monstruo con ojos de loco . . . aquí, aquí!

—¡Calma, por Dios!

Entonces comprendí que estaba perdiendo el tiempo. Quise saltar de la cama, pero el doctor se lanzó sobre mí y me contuvo. Hice esfuerzos y comenzó una lucha desesperada.

—¡Imbécil! ¡No sea Vd. imbécil!—gritaba yo.

Todo fué inútil. Saqué un brazo y le di una bofetada. Él gritó en el acto ¡socorro! ¡socorro!, manteniéndome firme sobre la cama. Llegó mi tía dando gritos. Dos mozos subieron al cuarto; yo gritaba, pero ellos gritaban más. Tuve que callarme.

Me acostaron y me ataron a la cama. Los mozos salieron del cuarto diciendo: —¡Pobre joven! ¡Pobre joven!

IV

Mi tía salió llorando y luego la siguió Belmar, triste y pensativo. Oí que dictaban un telegrama que decía: «Angel ha perdido la razón. Vengan inmediatamente.» Me dió rabia y empecé a gritar, queriendo echarme al suelo. Belmar corrió a sentarse cerca de mí y me miró, como diciendo: «Tan joven . . . y ya loco.»

Yo no sabía qué hacer. Me veía atado . . . y, entretanto, debajo de mi cama había un hombre. La lámpara del gas con el mismo ruido monótono; mi tía, llorando; el doctor, mirándome con profunda melancolía. Al ver esta escena, no pude contener la risa.

—¿Te ríes, hijo?—me dijo el doctor en voz baja.

—Sí, me río de Vd., señor «eminente alienista.»

El pobre Belmar me miraba con compasión. Dos lágrimas salieron de sus ojos . . .

V

De repente, un estornudo, sí, señor, un estornudo sonoro, muy sonoro, resuena debajo de la cama. Belmar salta de la silla y escucha. Otro estornudo, más sonoro. Se echa al suelo, mete la mano, y tira de una pierna.

—¿Quién eres tú? ¡Responde!—grita Belmar con furia.

—Soy Juancho—dice con voz suave el jorobado.

En ese instante entra un mozo y al ver al hombrecito suelta una carcajada.[10]

—¡Juancho, hombre! ¿Qué haces aquí?

En un momento se explica[11] todo. Juancho es un jorobado que sufre la manía de persecución. Es un pobre inofensivo, hermano del dueño del hotel. Generalmente se esconde debajo de las camas, huyendo de un enemigo invisible.

¡No estoy loco! El doctor me abraza llorando; mi tía da muestras de alegría y en la primera oportunidad vuelve a leerme . . . el martirio de San Ildurito.

Adapted from Joaquín Díaz Garcés: *El alienista*

NOTES

[1] Do not translate

[2] **la** my

[3] **Todo se olvida** one forgets everything

[4] **se hicieron** were made

[5] **poniendo . . . blanco** showing the whites of my eyes

[6] **hacía . . . que** it was quite a while since

[7] **de puntillas** on tiptoe

[8] conditional of probability; could it be?

[9] **se veía** was seen

[10] **soltar una carcajada** to burst into laughter

[11] **se explica** is explained

ACTIVE VOCABULARY

el **aire** air
alto, -a high, tall
asistir a to attend
coger to seize
comenzar to begin
el **dueño** proprietor
empezar to begin
el **enemigo** enemy
llorar to cry, weep
el **mar** sea
matar to kill
olvidar to forget
pobre poor
el **secreto** secret
sentarse to sit down
la **silla** chair
tener que to have to

CUESTIONARIO

I

1. ¿Quién era el doctor Belmar?
2. ¿Cuándo había venido a verme?
3. ¿Qué afirmaba el doctor?
4. ¿Cuál era su tema favorito?
5. ¿Qué contó el autor en secreto a Belmar?
6. ¿Cuándo quería el autor matar a alguien?
7. ¿Había desaparecido algo en casa?
8. ¿Qué observaban todos?

II

1. ¿Qué cogió el autor?
2. ¿Qué vino tras el resfriado?
3. ¿Recomendó algo el doctor?
4. ¿Quién acompañaría al autor?
5. ¿Dónde estaba el autor un día?
6. ¿Qué miraba?
7. ¿Qué molestaba al autor?
8. ¿Quién miró aterrada?
9. ¿Cómo salió la tía?

10. ¿Quién llegó al hotel?
11. ¿Qué había cometido el autor?

III

1. ¿Qué leía el autor?
2. ¿Qué ruidos oía?
3. ¿Cómo comenzó a abrirse la puerta?
4. ¿Qué tenía ante sus ojos?
5. ¿Cómo era el monstruo?
6. ¿Dónde se escondió?
7. ¿Qué preguntó el doctor?
8. ¿Qué exclama el autor?
9. ¿Qué dijo entonces el doctor?
10. ¿Qué decían los mozos?

IV

1. ¿Qué dictaban el doctor y la tía?
2. ¿Qué decía la mirada del doctor Belmar?
3. ¿Cómo era el ruido de la lámpara?
4. ¿Qué no pudo contener el autor?
5. ¿Cómo miraba Belmar al autor?

V

1. ¿Qué resuena debajo de la cama?
2. ¿Qué grita Belmar?
3. ¿Quién entra en ese instante?
4. ¿Qué clase de hombre es Juancho?

LA MINA

I

En las aldeas de la región minera la gente hablaba vagamente de unas minas ruinosas que estaban en la sierra de California. Unos decían que los españoles habían comenzado a explotar una mina llamada *El Caimanito* en tiempos de la conquista; otros afirmaban que un indio

viejo, Shuh Shuh Gah, la había visto o, por lo menos, había trabajado allí cuando era niño.

Stuart, dueño de una mina de plata, buscó al indio y le preguntó:

—¿Sabrías volver a la mina?

—No, señor.

—¿Por qué?

—Porque no recuerdo el camino.

—Pero, ¿no podrías recordarlo?

—Tal vez.

Stuart mandó a uno de sus hombres con el indio a buscar la mina. Después de muchas tentativas, encontraron la entrada de *El Caimanito* y su galería principal.

Tomaron muestras en varios puntos de la mina, las cuales fueron enviadas al laboratorio de Stuart. El mineral resultó[1] ser pobre de plata y muy mezclado con impurezas. Stuart tuvo un gran disgusto; había tenido grandes ilusiones con su mina.

Como la mina no daba resultados, Stuart decidió venderla. Vino un ingeniero de una compañía de San Francisco; aceptaba la mina. Stuart, como era costumbre, le dió una opción para comprarla en ciento cincuenta mil dólares.

II

Al principio, el viejo minero quedó muy satisfecho de abandonar aquel mal negocio; pero luego pensó que el ingeniero de San Francisco no era un tonto ni un ignorante.

—¡Es extraño! ¿Qué habrá[2] visto este hombre allí?— se preguntó.

Un día, resolvió consultar a su amigo, el doctor Russell. Stuart, que tenía buena idea de la inteligencia del doctor, se lo explicó todo.

—Hay muchas cosas que no comprendo—le dijo. Primero, ¿por qué explotaban los españoles una mina tan pobre? En segundo lugar, ¿por qué acepta este ingeniero una mina tan mala?

Stuart mostró al joven médico las muestras que había analizado.

—Yo mismo[3] he hecho el análisis.

—Ahora, yo volveré a hacerlo—replicó Russell. —¡Quién sabe!

Pasados algunos días, se presentó Stuart en el laboratorio y encontró a Russell examinando atentamente un botón de oro.

—No comprendo cómo Vd. . . . —empezó el doctor.

—Pues, ¿qué pasa?

—Pues, nada: que[4] *El Caimanito* es una mina de oro.

—¿Cómo?

—No sea Vd. tonto. Esto es oro.

—Pero, ¿en qué proporción?

—En proporción suficiente para hacerse millonario.

—Baje Vd. la voz—murmuró Stuart, poniéndose pálido.

Salió el doctor del laboratorio y Stuart al quedarse solo exclamó: ¡Estoy perdido! Indudablemente el ingeniero de San Francisco sabía muy bien que en la mina había oro. ¿Qué hacer? ¿Cómo conservar la mina?

III

Stuart pasó muchas horas elaborando un plan. La opción terminaba el último día del mes de abril a las doce de la noche. Era fines de marzo. El ingeniero tenía, pues, más de un mes para entregar los ciento cincuenta mil dólares.

Stuart empezó a contar en el pueblo que sus negocios iban mal. Quince días más tarde, se presentó al ingeniero preguntándole si la Compañía iba a comprar la mina o no. Él necesitaba dinero urgentemente para cancelar ciertas deudas. El ingeniero le contestó que sólo el gerente de la Compañía podía decidir eso.

Stuart fué a ver al gerente, y le insinuó la idea de que podía hacer una rebaja. El gerente comprendió la situación de Stuart y le dijo:

—Vd. sabe que la mina es muy pobre. Debe Vd. hacer una rebaja, porque si no, la Compañía abandonará la opción.

Stuart se quejó. Por fin, decidieron discutir la cuestión

de la rebaja. Se[5] escribieron cartas, pero no llegaron nunca a un arreglo definitivo.

IV

Los días siguientes, Stuart retrasaba por la mañana los relojes de su oficina en un minuto o medio minuto. El minero fué también al observatorio astronómico de San Francisco.

El último día de abril se reunieron en la oficina de Stuart el ingeniero, el gerente, un notario y dos empleados. Con diferentes pretextos, Stuart no comenzó la reunión hasta las once y cuarto de la noche.

Charlaron de muchas cosas. Eran las doce menos cuarto cuando el gerente dijo:

—Se pasa el tiempo, y hay que decidir antes de las doce.

—¿Vds. no quieren dar los ciento cincuenta mil dólares? —preguntó Stuart, con aire desconcertado.

—Vd. ha ofrecido una rebaja—contestó el gerente.

—Es verdad; pero ahora comprendo que eso no me conviene.

—Pero, veamos—dijo el ingeniero—; Vd. ofreció . . .

En ese momento el telégrafo de la oficina empezó a sonar.

—Vea Vd. lo que es—dijo Stuart a un empleado.

El empleado vino con la cinta azul en la mano:

—No comprendo—murmuró—por qué nos telegrafían la hora.

—Lea Vd.—gritó Stuart.

El empleado leyó:

—Acaban de dar[6] las doce. Observatorio de San Francisco.

—¿Qué quiere decir[7] esto?—preguntaron al mismo tiempo el gerente y el ingeniero.

—Esto quiere decir—replicó Stuart—que han dado las doce del último día de abril; que Vds. no han depositado los ciento cincuenta mil dólares y que han perdido la opción a la mina *El Caimanito*.

El notario miró el telegrama y luego sacó su reloj. En efecto,[8] eran las doce y un minuto.

—¡Yo creía que era Vd. un hombre honrado!—exclamó el ingeniero.

—Vds. querían engañarme a mí—terminó Stuart—, y yo los he engañado a Vds.

V

El viejo Stuart comenzó a explotar la mina de oro. Durante algún tiempo hubo gran actividad. Pero muy pronto la mina se agotó.

Stuart reunió una buena fortuna, pero no pudo gozar de ella. Murió en el pueblo minero y todas sus riquezas pasaron a su amigo, el doctor Russell.

Adapted from Pío Baroja: *El laberinto de las sirenas*

NOTES

[1] **resultar** to turn out
[2] **habrá** (future of probability) I wonder what . . . has
[3] **mismo** myself
[4] Do not translate
[5] **se** (reciprocal) to each other
[6] **dar** struck
[7] **querer decir** to mean
[8] **en efecto** in fact

ACTIVE VOCABULARY

abandonar to abandon
alguno some, any
contar to count
convenir to suit
engañar to deceive
la **gente** people
gozar to enjoy
medio, -a half
morir to die
perder to lose
principal principal, main
querer decir to mean
recordar to remember
varios, -as various, several
vender to sell
volver a to . . . again

CUESTIONARIO

I

1. ¿Dónde estaban las minas?
2. ¿Quién era Shuh Shuh Gah?
3. ¿Quién era Stuart?
4. ¿Qué encontraron el indio y el otro hombre?
5. ¿Cómo era el mineral?
6. ¿Qué decidió Stuart?
7. ¿Quién vino de San Francisco?
8. ¿Cuál era el precio de la mina?

II

1. ¿Qué pensó Stuart del ingeniero?
2. ¿A quién consultó Stuart?
3. ¿Qué no comprendía Stuart?
4. ¿Dónde se presentó Stuart?
5. ¿Qué examinaba el doctor?
6. ¿Es *El Caimanito* una mina de plata?
7. ¿Qué exclamó Stuart al quedarse solo?
8. ¿Qué sabía el ingeniero?

III

1. ¿Qué elaboró Stuart?
2. ¿Cuándo terminaba la opción?
3. ¿Qué contaba Stuart en el pueblo?
4. ¿Qué preguntó él al ingeniero?
5. ¿Para qué necesitaba dinero Stuart?
6. ¿A quién fué a ver Stuart?
7. ¿Qué decidieron discutir?
8. ¿Llegaron a un arreglo?

IV

1. ¿Qué retrasaba Stuart?
2. ¿A dónde fué el minero?
3. ¿Dónde se reunieron los hombres?
4. ¿Cuándo comenzó la reunión?
5. ¿Qué había ofrecido Stuart?
6. ¿Qué empezó a sonar?
7. ¿Quién vino con la cinta azul?
8. ¿Qué hora era?

UN IDILIO

I

AQUELLA mañana, después de clases, el Padre Juan, del *otro colegio,* se acercó a mí y me dijo con voz seca:

—Suárez: el Padre Superior quiere hablarle. Tome el sombrero y vamos.[1]

Mientras buscaba el sombrero, hice mi examen de conciencia.[2] Cuando el Padre Superior me llamaba, seguramente no era para hacerme caricias. Pero ¿qué nueva falta había cometido? De pronto recordé: ¡Rosita! Y me puse pálido.

El *otro colegio* era una escuela de niñas que estaba enfrente. Nosotros los muchachos íbamos allí para consultar a la enfermera o para asistir a alguna representación teatral.

Varios de mis compañeros habían comenzado inocentes idilios por medio de amorosas cartitas escritas con muy mala ortografía. ¿Por qué no podía yo hacer lo mismo? Queriendo variar el curso de mi existencia, escribí un día una cartita de amor a Rosita, una rubia colegiala de hermosos ojos verdes. ¿Qué le dije? No lo recuerdo. Algo como el canto de un pajarillo, todo escrito en la peor letra del mundo en una hoja no muy limpia, doblada más de diez veces. En la primera oportunidad le di la carta, y la chica me premió con una mirada alegre. Ella tenía diez años, y yo poco más.[3]

II

Caminé tras el Padre, tímido y afligido. Atravesé la plazuela que separaba los dos colegios; unos momentos después, con el sombrero en las manos, me hallé en la oficina del Padre Superior. Éste leía, a través de sus gruesos anteojos, un viejo libro.

El Padre Juan salió del cuarto y volvió en pocos momentos trayendo a *mi novia* de la mano. Luego se retiró.

Mis ojos se encontraron con los de la muchacha. Estábamos perdidos.

El severo Padre Superior no nos había mirado; continuaba leyendo el libro en medio de un silencio de muerte. Al fin levantó la cabeza.

—¡Conque[4] usted, señor Suárez, escribe a la señorita cartas de amor!

Nuevo silencio.

—Debo decirle, en primer lugar, que *querer* se escribe[5] con *qu* y no *cerer* como Vd. ha puesto, y se *desea*[6] con *ese* y no con *ce*; en segundo lugar, como Vds. se quieren tanto (con *ce*) he resuelto casarlos (con *ce* también) ¿me comprenden? Los casaré ahora mismo.[7]

¡La catástrofe era espantosa! . . . Rosita, que ya estaba nerviosa con las palabras del Superior, empezó a llorar sin consuelo, y yo muy pronto hice lo mismo.

¡Casarme! ¿Y qué diría mi madre? ¡Casarme! . . . Al fin, entre lágrima y lágrima, dijo Rosita:

—¡No, Padre; no, Padre, no lo haré más.

Y yo después:

—Padre, yo tampoco lo haré más.

Pero el severo juez no nos perdonaba; sus ojos iban de una a la otra víctima y su voz seca repetía:

—Esto no tiene remedio;[8] los casaré ahora mismo.[7]

—Padre—dije yo, con la mayor angustia—, le aseguro que no lo haré más. ¿Qué dirá mi madre?

Y la muchacha, llorando más y más:

—¡Yo no quiero casarme! ¡Yo no quiero casarme!

Al fin, el Superior nos dijo:

—Está bien, no los casaré, pero con una condición . . .

Silencio mortal.

—Que recibirá cada uno de Vds. seis palmetazos.

No había otra solución. El Padre tocó una campanilla y pidió la palmeta. Unos momentos después entró Sor Inés con el terrible instrumento. Entonces el Padre, dirigiéndose a *mi novia,* le dijo:

—Extienda la mano.

Pero yo me apresuré a decir:

—Padre, déme a mí los doce palmetazos.

El Superior me miró algunos segundos y yo repetí:

—Déme Vd. a mí los doce.

—Está bien; extienda la mano.

III

En el silencio de la oficina resonaban secamente los palmetazos. La niña no lloraba ya; me miraba con sus grandes ojos verdes . . .

Cuando salí a la plazuela, seguido del Padre Juan, vi a dos pájaros en una rama que se dedicaban tal vez un canto de amor ante la alegría de la mañana, y yo, indicándoselos al Padre, murmuré:

—¿Por qué a ésos no les dan palmetazos?

Adapted from Amado Nervo: *El final de un idilio*

NOTES

[1] **vamos** let us go
[2] **hice mi examen de conciencia** I searched my conscience
[3] **poco más** slightly older
[4] **conque** so then
[5] **se escribe** is written
[6] **se desea** one wishes
[7] **ahora mismo** right now
[8] **no tiene remedio** it can't be helped

ACTIVE VOCABULARY

al fin finally
alegre merry, cheerful
el amor love
asegurar to assert, assure
la conciencia conscience
de pronto suddenly
la hoja leaf, sheet of paper
indicar to indicate
la lágrima tear
mayor greater, greatest
mientras while
la mirada look
primero first
repetir to repeat
separar to separate
tampoco neither, either

CUESTIONARIO

I

1. ¿Quién quiere hablar a Suárez?
2. ¿Qué hizo Suárez mientras buscaba el sombrero?
3. ¿Dónde estaba el otro colegio?
4. ¿A quién iban a consultar los niños?
5. ¿A qué asistían los niños?
6. ¿Cómo era la ortografía de las cartitas?
7. ¿Quién era Rosita?
8. ¿En qué estaba escrita la cartita?
9. ¿Cómo premió la chica a Suárez?

II

1. ¿Qué separaba los dos colegios?
2. ¿En dónde se halló el niño?
3. ¿Qué leía el Padre Superior?

4. ¿Con quién volvió el Padre Juan?
5. ¿Qué continuaba leyendo el Padre?
6. ¿Qué hizo al fin el Padre Superior?
7. ¿Qué ha resuelto el Padre?
8. ¿Cómo estaba Rosita?
9. ¿Qué dijo la niña entre lágrima y lágrima?
10. ¿Quién no perdonaba a los niños?
11. ¿Qué repetía la niña?
12. ¿Cuántos palmetazos recibirá cada uno de ellos?
13. ¿Qué tocó el Padre?
14. ¿Cuál era el terrible instrumento?
15. ¿Qué dijo el muchacho?

III

1. ¿Cómo resonaban los palmetazos?
2. ¿Quién no lloraba ya?
3. ¿Quién tenía grandes ojos verdes?
4. ¿Qué había en una rama?
5. ¿Qué murmuró el muchacho?

EL VAGABUNDO

No muy lejos de la vía del ferrocarril hay un banco de madera rodeado de árboles y flores. Es mi banco, mi mesa de trabajo. Sentado en él he imaginado muchas cosas. ¡Qué hermosa soledad! ¡Qué dulce paz!

Ayer iba yo buscando mi banco de madera; unos veinte metros antes de llegar al rincón adorado, vi que en el banco estaba sentado un hombre.

Sin saber quién era, ni cómo era, le tomé aversión. ¿Quién es éste, que así se apodera de mi asiento? Era un individuo sucio, medio descalzo, con los pantalones rotos. Estaba comiendo un pedazo de pan negro y un gran trozo de queso.

Si crees (pensaba yo acercándome a él) que vas a privarme el derecho a mi banco ¡te equivocas!

—Buenas tardes.

—¿Vd. gusta?[1]—me dijo, ofreciéndome de su comida.

Aquella amabilidad me desarmó.

—Gracias, no—le contesté.

—Hay apetito, ¿eh?—añadí.

—Sí, señor, gracias a Dios. En sesenta y dos años nunca me ha faltado;[2] lo que me ha faltado siempre es el[3] dinero . . . para comer.

—Hay poco trabajo, ¿verdad?

—¿Trabajo? Yo no he trabajado en mi vida.

Ante la brutal franqueza de aquella frase, me quedé atónito.

—¿Y cómo ha vivido Vd. sesenta y dos años?

—Pues, pidiendo limosna.[4]

—Pero ¿prefiere Vd. ser mendigo a trabajar?

—Sí, señor. En este mundo el que más trabaja es el que menos vive.

Al decir esto, sacó un par de melocotones y un cuchillo y se puso[5] tranquilamente a mondar uno.

—¿Pero no comprende que eso es vergonzoso?

—Vea Vd.—me respondió—, más vergonzoso es trabajar para no poder vivir. Mi padre era obrero, no podía atender a los gastos de casa, mi madre siempre enferma, la familia numerosa . . . siempre luchando con el hambre. A los doce años me escapé de casa y me fuí pidiendo limosna por los caminos. El resultado fué excelente. Si mi padre, trabajando, gana cinco reales al día y yo, pidiendo limosna, puedo reunir en un día catorce reales . . . ¡pues ya tengo oficio! me dije para mí. Y así he pasado cincuenta años tan contento.

—¡Pero Vd. no tiene hogar . . . ni nada!

—Es cuestión de costumbre. Yo no pago casa,[6] ni pago contribución, ni tengo familia, ni le hago mal a nadie. Lo único malo es que los guardias civiles me persiguen . . . por vago. ¡Qué injusticia!

—A ver, explíquese Vd.

—Pues, está más claro que el agua. En invierno gano de seis a siete reales sin trabajar y en verano casi un duro, sabiendo buscar los buenos sitios. ¡Y los guardias civiles quieren hacerme trabajar para ganar unos tristes seis reales! Pues, ¿qué libertad es ésa? ¿qué gobierno es ése?

El mundo es mío, el campo es mío y yo tengo derecho de disponer de mi persona, ¿no es verdad? También quieren reformarme esos tíos[7] que escriben en los periódicos y que hablan de cosas que no saben. Vea Vd.; el otro día encontré un periódico en el camino. Aquí lo tengo; haga Vd. el favor de ver eso. . . .

Y sacó del bolsillo un periódico y me lo dió y ¡oh, Dios mío! me enseñaba . . . ¡un artículo mío!

—El que[8] ha escrito eso—decía el hombre, comiéndose el segundo melocotón—es un ignorante. Mire Vd., el año pasado, en la Exposición ganaba yo unos treinta reales diarios. ¡Le apuesto que el que[8] escribió eso no los gana!

—¡Adiós!—le dije. —Vd. no tiene dignidad.

—La dignidad es para los que[8] tienen dinero, caballero.

Y al ver que me marchaba:

—¿No podría Vd. dar un par de perras a un pobre hombre?

—Para Vd., no.

—Ya veo que no le ha gustado oír la verdad. Si le digo que tengo cinco hijos o que no he comido en tres días, Vd. me las da, ¿verdad? ¿Qué son dos perras para Vd., señor? . . . Con eso tendría yo para comer dos días . . . Vivamos todos, que el mundo es grande.

Soy tan débil de carácter que le di el dinero. El hombre comenzó a andar, diciendo:

—Dios se lo pague.[9] Adiós, caballero.

Volví a la ciudad. Ya se veían[10] brillar las primeras luces de las casas.

—Hace cinco o seis años—iba yo pensando—que sólo hallo disgustos, críticas y desengaños en mi campaña humanitaria. ¡Dios mío! ¡Y si resulta que en todo esto . . . él tiene razón!

¡¡No, no puede ser!! . . . ¡el golpe sería muy duro!

Adapted from Eusebio Blasco: *El hombre del camino*

NOTES

[1] **¿Vd. gusta?** will you have some?
[2] **nunca me ha faltado** I have never lacked one
[3] Do not translate
[4] **pedir limosna** to beg
[5] **ponerse a** to begin
[6] **casa** rent
[7] **tíos** fellows
[8] **el que, los que** (28,5)
[9] **Dios se lo pague** May God reward you!
[10] Use passive voice

ACTIVE VOCABULARY

el caballero gentleman, sir
el campo country, field
la costumbre custom
duro, -a hard
enseñar to show
el gobierno government
haga Vd. el favor de please
el invierno winter
lejos far
muchas gracias thank you very much
el pedazo piece
pedir to ask for
resultar to turn out
el sitio place
tiene razón he is right
la verdad truth

CUESTIONARIO

I

1. ¿Dónde está el banco?
2. ¿De qué es el banco?
3. ¿Quién estaba sentado en el banco?
4. ¿Cómo era el hombre?
5. ¿Qué estaba comiendo el hombre?
6. ¿Qué ofrece el hombre al autor?
7. ¿Qué dice el autor al hombre?
8. ¿Qué le ha faltado siempre al hombre?
9. ¿Cómo ha vivido el hombre sesenta años?
10. ¿Qué prefiere el hombre?
11. ¿Cuántos melocotones sacó el mendigo?

12. ¿Qué era el padre del hombre?
13. ¿Con qué luchaba la familia?
14. ¿Cuándo se escapó el hombre de su casa?
15. ¿Cómo fué el resultado?
16. ¿Quiénes persiguen al hombre?
17. ¿Cuántos reales gana el hombre en el invierno?
18. ¿Encontró algo el hombre?
19. ¿Quién es un ignorante?
20. ¿Para quiénes es la dignidad?
21. ¿Por qué dió dinero el autor al hombre?
22. ¿A dónde volvió el autor?
23. ¿En qué halla disgustos el autor?
24. ¿Cómo sería el golpe?

LA MONEDA DE ORO

I

DON RAMIRO SANDOVAL era coleccionista e historiador. Vivía absorbido por su obra *La moneda a través de los siglos,* buscando datos en los viejos libros de su biblioteca. De noche, a solas[1] en su despacho, bajo la luz del escritorio, examinaba, una a una, sus antiguas monedas. Don Ramiro las acariciaba con sus dedos . . . Estaba enamorado de ellas.

En las largas tardes del otoño don Ramiro se encerraba con su secretario, rodeado de viejos volúmenes.

—Anote, Pérez: «En el año 1252 circularon los primeros florines . . .»

Y Pérez, un hombre pequeñito y tímido, se inclinaba sobre el escritorio, y anotaba la frase con escrupulosa letra.

—Vd., Pérez, es mi brazo derecho—decía a veces don Ramiro.

El secretario era un hombre como muchos: metódico, puntual, resignado. Llegaba siempre temprano al despacho y esperaba pacientemente al historiador. Después del baño aparecía don Ramiro en bata.

—¡Hola, Pérez! ¿Qué dice el periódico hoy?

Y Pérez, con voz débil, iba leyendo[2] las últimas noticias.

¿Qué edad tenía Pérez? ¿Tendría[3] novia? ¿Por qué no se casaba? Vino jovencito de un rincón de provincia, con grandes ilusiones. Pasaron los años y su vida de fatigas y dolores no cambiaba. Era solterón y vivía con su madre, una señora anciana e inválida.

Una noche fueron Sandoval y su hija Teresita al teatro. A su vuelta don Ramiro pasó a su despacho, como de costumbre. Abrió una caja. Las manos le temblaron, y un nudo de angustia le oprimió la garganta. ¡Cinco monedas romanas y dos carolingias de plata habían desaparecido!

El coleccionista tuvo una crisis[4] de cólera. Hizo[5] venir a los criados, y despidió a dos que no le inspiraban mucha confianza.

Cuando Pérez llegó al despacho hizo mil conjeturas y demostraciones. Don Ramiro, antes de dictarle un nuevo capítulo de su obra *La moneda a través de los siglos,* le dirigió una mirada penetrante. Pero al ver al secretario tan sereno, rechazó toda duda y empezó a dictar: «Las primeras monedas de oro . . .»

II

Don Ramiro Sandoval tuvo una inmensa alegría. Acababa de adquirir nada menos que un *luis* de oro de tiempos de Luis XIII. Toda la tarde estuvo examinando la nueva adquisición. Abrió libros, franceses y alemanes, e hizo comparaciones. Aquella pieza era un tesoro.

Teresita entró en la habitación.

—Papá, el señor Artigas y su esposa.

Era una visita de cortesía.[6] Don Ramiro cerró sus libros y fué al salón con aire ceremonioso. Después de media hora de conversación volvió a su despacho. Pérez, cansado de esperar, dormitaba sobre su escritorio, rodeado de papeles.

Don Ramiro se disponía a[7] continuar su trabajo cuando notó que el *luis* no estaba en su mesa. Quedó mudo de asombro.

—Señor Pérez, ¿ha visto Vd. la moneda que dejé en la mesa?

En los momentos graves le llamaba «señor» para establecer mayor distancia . . .

—No, señor. No he visto nada.

El coleccionista tuvo otra crisis de cólera; echaba chispas por los ojos.[8] Buscaron en las cajas, en el suelo, en todas partes. Nada.

—Señor Pérez, esto es ya demasiado.

Pérez se quedó pálido y sólo pudo decir:

—Don Ramiro, ¿duda Vd. de mi honradez?

Don Ramiro no quería explicaciones de ninguna clase.

—Vd. es el único que estaba en la habitación. Basta de farsa, señor mío. Hoy es un *luis,* ¿y qué me dice de las monedas romanas y carolingias de la semana pasada?

—Don Ramiro . . . —empezó Pérez.

—¡Nada, nada!

El hombre se paseaba por la habitación encendido de cólera, lanzando terribles miradas al secretario.

—Señor Pérez, o aparece el *luis* o queda Vd. despedido.

—Don Ramiro, por favor, escúcheme. Soy un hombre honrado . . .

—Le he dicho que no quiero oír más farsa. ¡Tome su sombrero y afuera![9] No quiero ladrones en mi casa.

Teresita, quien había oído las palabras irritadas de su padre, quiso intervenir. Fué inútil.

—Déjame, hija. Es un ladrón . . . ¿lo oyes? . . . un ladrón.

Pérez no pudo articular palabra. Con el sombrero en la mano, salió. Sandoval cerró de golpe[10] la puerta. Se oyó un gemido desconsolado, palabras confusas y unos pasos vacilantes que se alejaban.

III

Sandoval era un hombre inflexible. Tomada una resolución, nadie podía hacerle cambiar de parecer. Pérez había muerto para él.[11] Hizo[5] venir a un nuevo secretario, y continuó sus investigaciones históricas.

Un día, al abrir un viejo volumen, oyó un sonido metálico en el suelo. Sandoval se inclinó; vió algo pequeñito y brillante. Estaba solo en su despacho. Recogió el objeto, y grande fué su asombro al ver el *luis* que había perdido. ¿Qué hacer? ¿Cómo explicarse ante Pérez? Pero la idea generosa no duró mucho tiempo. ¡Imposible! ¡Qué diría Teresita!

Guardó la moneda cuidadosamente en su cartera, y por la noche, a la hora de la comida, contó el incidente a su manera:

—Verás, Teresita. ¡Lo que son las cosas![12] Entré esta tarde en una tienda y me encuentro con[13] el mismo *luis* que había desaparecido de mi despacho.

—¡Ah! ¿sí? ¡Y quién iba a pensar que Pérez . . . un joven tan honrado . . . !

Aquellas palabras hicieron el efecto de bofetadas en la cara de Sandoval.

—¡Cosas de la vida,[14] hija mía!—añadió el padre, sin atreverse a comentar. Y se quedó meditando.

—¡A veces las apariencias engañan!—dijo, después de un largo silencio.

Y sin saber cómo, sus ojos se fijaron en un diploma con magnífico marco dorado, en que se leían las palabras que le proclamaban «Individuo de la Academia Internacional de Ciencias Morales.»

Adapted from Edgardo Garrido Merino: *La moneda de oro*

NOTES

[1] **a solas** alone
[2] **iba leyendo** read
[3] Conditional of probability: could he have. . . ?
[4] **crisis** fit
[5] **hizo** had (causative construction)
[6] **visita de cortesía** social call
[7] **disponerse a** to get ready to
[8] **echar . . . ojos** to be extremely angry
[9] **afuera** get out!
[10] **cerrar de golpe** to slam
[11] **para él** as far as he was concerned
[12] **¡Lo que son las cosas!** That's the way things go.
[13] **encontrarse con** to come across
[14] **¡Cosas de la vida!** Such is life.

ACTIVE VOCABULARY

a veces at times
acariciar to caress
adquirir to acquire
la **alegría** joy
comentar to comment
continuo, -a continual
el **efecto** effect
entrar en to enter
grave grave, serious
guardar to keep
honrado, -a honest
la **ilusión** illusion
el **incidente** incident
inmenso, -a immense
moral moral
el **objeto** object
el **siglo** century

CUESTIONARIO

I

1. ¿Qué era don Ramiro?
2. ¿Dónde buscaba datos don Ramiro?
3. ¿Qué examinaba él en su despacho?
4. ¿Con quién se encerraba el historiador?
5. ¿Cómo era Pérez?
6. ¿Cómo anotaba Pérez la frase?
7. ¿Qué decía a veces don Ramiro?
8. ¿A dónde llegaba temprano Pérez?

9. ¿De dónde vino el secretario?
10. ¿Con quién vivía Pérez?
11. ¿Quién era Teresita?
12. ¿A dónde fueron don Ramiro y su hija?
13. ¿A dónde pasó el padre a su vuelta?
14. ¿Qué abrió?
15. ¿A quiénes hizo venir don Ramiro?

II

1. ¿Quién tuvo una inmensa alegría?
2. ¿Qué examinó?
3. ¿Qué libros abrió?
4. ¿Quién entró en la habitación?
5. ¿A dónde fué don Ramiro?
6. ¿Cuándo volvió a su despacho?
7. ¿Qué notó don Ramiro?
8. ¿Buscaron la moneda?
9. ¿Qué no quería don Ramiro?
10. ¿Por dónde se paseaba el historiador?
11. ¿Qué no quiere él tener en su casa?
12. ¿Qué oyó Teresita?
13. ¿Qué dice don Ramiro de Pérez?
14. ¿Cómo salió Pérez?
15. ¿Cómo cerró la puerta Sandoval?

III

1. ¿A quién hizo venir Sandoval?
2. ¿Qué oyó un día don Ramiro?
3. ¿Qué vió en el suelo?
4. ¿Duró mucho tiempo la idea generosa?
5. ¿Dónde guardó la moneda?
6. ¿Cómo contó el incidente?
7. ¿Cómo se quedó el padre?
8. ¿Qué efecto hicieron las palabras de Teresita?
9. ¿Qué engañan a veces?
10. ¿Qué había en un marco dorado?

EL TORRENTE

I

—¡Martín!

—¡Qué . . . !

—¿Pasarán las vacas al monte?

—Sí, madre, pasarán como siempre.

—Pero, ten cuidado,[1] hijo, porque el río es peligroso.

—No tengo miedo, madre.

El muchacho partió tras las vacas en dirección del río. El sol empezaba a brillar sobre la nieve de los montes cubriendo el valle de penetrante blancura.

Martín caminaba alegre al lado de sus vacas. Una de ellas, de manchas blancas y raza extranjera, era la más hermosa de la aldea. Iba lenta, detrás de las otras. Al llegar al río, unos aldeanos comentaron la arrogancia del animal, mientras el muchacho decía con orgullo:

—¡Arre, Pinta!

—¡Ten cuidado con el río, muchacho, porque el agua va subiendo![2]

—¡Ya lo sé!—contestó Martín con orgullo.

Y bajó a una orilla en donde había un tronco que cruzaba el río. En la mitad del rústico puente, Martín se detuvo a contemplar la majestad del paisaje, pero tuvo miedo al ver las aguas turbulentas, y corrió a la orilla opuesta.

—¡Uf! . . . ¡Cómo rugen!

Entonces el niño, temblando un poco, volvió la cara hacia el río y lo vió brillar al sol, corriendo furioso junto a los árboles.

Martín era un muchacho ágil, firme y resuelto. Cuidaba las vacas de su padre, que eran la admiración de toda la aldea. Sabía que el pan de la familia dependía de la existencia de aquellos animales. Por eso el niño cuidaba sus vacas con amor y orgullo.

Martín pasó el día entero junto a sus vacas. Eran ya

las cinco.[3] Las vacas estaban llenas y descansaban sobre la hierba, como esperando una orden. Martín pensó volverse a la aldea. Tardaría una hora por lo menos:[4] el tiempo justo para no llegar de noche.

—¡Vamos . . . Princesa, Galana! ¡Arriba Pinta! ¡Lora, vamos!

Los animales empezaron a caminar delante del muchacho. Pasado un cuarto de hora,[5] el muchacho empezó a sentir miedo. El río rugía como una fiera, mucho más que por la mañana. Cuando miró los montes, vió que no quedaba nieve; el sol y el viento la habían hecho desaparecer.

Impaciente, caminó más aprisa, y, dentro de[6] poco rato, pudo ver que las aguas habían cubierto los árboles. Corrió a ver si el puente estaba todavía allí . . . ¡estaba! Respiró tranquilo. Ahora había que[7] incitar a las vacas, como de costumbre,[8] a cruzar el río. Estaban indecisas; volvían sus nobles cabezas al muchacho, como haciendo una pregunta.

Al fin, entró una de ellas en el agua. Las otras la siguieron, menos[9] la Pinta que no se movía. Martín fué a ella:

—¡Anda,[10] tonta, tontona!

Pero la vaca corrió hacia el bosque. Martín se quedó atónito. Su deber era salvar al animal, y sin tardar, pues el río pronto lo inundaría todo.

Las otras cinco vacas estaban ya al otro lado, y a paso lento caminaban al establo. Entonces Martín corrió tras la Pinta, el animal más hermoso que su padre poseía. La halló asombrada delante de[11] un segundo torrente. El muchacho le ató una cuerda al collar, y la obligó a volver al lugar conveniente. . . .

II

El río había crecido atrozmente y la noche se acercaba. Ató la vaca a un árbol, y fué a ver el estado del puente.

Pero el puente . . . ¡había desaparecido!

Martín estuvo unos minutos con la boca abierta pensando en aquella catástrofe espantosa. ¿Qué hacer? Sintió necesidad de llorar, de pedir ayuda, pero el ruido de las aguas lo dominaba todo. Pensó en un milagro, y comenzó unas oraciones confusas.

Quedaba sólo una posibilidad de salvación. Martín pasó una mano trémula sobre la Pinta y, con grandes precauciones, se subió sobre ella, tomando en una mano la cuerda del collar. El animal, esta vez, entró sin vacilar en el agua, llevándole encima.

La Pinta luchaba con el torrente mientras el niño lloraba, abrazado al enorme cuerpo vacilante. Apenas articulaba unas palabras confusas, que iban dirigidas tanto a Dios como al animal. El ruido de las aguas dominaba su débil voz de cristal, cuando oyó que le llamaban de la otra orilla; sin duda sus padres y los vecinos le buscaban.

Martín se creyó salvado. Levantó la cabeza con un movimiento de alegría, y en ese mismo instante un golpe de agua[12] le arrojó al torrente. Todavía tenía una esperanza de vivir: conservaba en su mano la cuerda que la vaca tenía atada al collar. La corriente, con terrible fuerza, llevaba al niño hacia abajo,[13] hacia la muerte. La vaca hacía esfuerzos por llegar a la orilla, pero era imposible.

Entonces él, bravo y generoso en aquel instante supremo, soltó la cuerda, y dijo con una voz extraña:

—¡Arre, Pinta!

Aun gritó: ¡Madre! Abrió los brazos, abrió los ojos, abrió la boca. Oyó el ruido del torrente como una amenaza que se cumple;[14] por fin, vió unas nubes rojas . . . El torrente le venció.

A lo lejos, se veía[14] a una triste mujer que había recibido la última palabra y que contestaba:

—¡Allá voy,[15] allá voy!

Y corría la infeliz junto al río, por entre las hierbas de la orilla, perdida en la obscuridad de la noche.

Adapted from Concha Espina: *El rabión*

NOTES

[1] **ten cuidado** be careful
[2] **va subiendo** is rising
[3] **eran las cinco** it was five o'clock
[4] **por lo menos** at least
[5] **pasado . . . hora** a quarter of an hour later
[6] **dentro de** within
[7] **había que** it was necessary
[8] **como de costumbre** as usual
[9] **menos** except
[10] **¡anda!** come on!
[11] **delante de** before
[12] **golpe de agua** surge of water
[13] **hacia abajo** downwards
[14] Use passive voice
[15] **¡allá voy!** I'm coming!

ACTIVE VOCABULARY

el animal animal
conservar to preserve
la corriente current
crecer to grow
cruzar to cross
el cuidado care
la existencia existence
extraño, -a strange
junto a near
la muerte death
poseer to possess
resuelto, -a resolute, determined
salvar to save
tener miedo to be afraid
todavía still, yet
último, -a last
vencer to overcome

CUESTIONARIO

I

1. ¿A dónde pasarán las vacas?
2. ¿Cómo es el río?
3. ¿Quién partió tras las vacas?
4. ¿En qué dirección partió él?
5. ¿Qué empezaba a brillar?
6. ¿Cómo caminaba Martín?
7. ¿Quiénes comentaron la arrogancia del animal?
8. ¿A dónde bajó Martín?
9. ¿Qué había en la orilla?
10. ¿Dónde se detuvo Martín?

11. ¿Cómo corría el río?
12. ¿De quién eran las vacas?
13. ¿Cómo cuidaba él los animales?
14. ¿Dónde descansaban las vacas?
15. ¿Qué esperaban los animales?
16. ¿Qué pensó Martín?
17. ¿Cuánto tardaría?
18. ¿Qué empezó a sentir el muchacho?
19. ¿Dónde no quedaba nieve?
20. ¿Qué habían cubierto las aguas?
21. ¿Qué deseaba ver Martín?
22. ¿En dónde entró una de las vacas?
23. ¿Hacia dónde corrió la vaca?
24. ¿Cuál era el deber de Martín?
25. ¿Dónde estaban las otras vacas?

II

1. ¿Qué fué a ver Martín?
2. ¿Qué lo dominaba todo?
3. ¿Qué comenzó entonces el muchacho?
4. ¿Con qué luchaba *la Pinta*?
5. ¿Qué oyó el muchacho?
6. ¿Quiénes le buscaban?
7. ¿Qué levantó el muchacho?
8. ¿Qué le arrojó al torrente?
9. ¿Qué dijo Martín con voz extraña?
10. ¿Qué abrió?
11. ¿Dónde se veía a una triste mujer?
12. ¿Qué contestaba la mujer?

DON MELITÓN

I

—¡VEN aquí, Melitón! ¡Me da vergüenza[1] verte con esos pantalones! ¿Qué haces para ensuciarte de esa manera? ¡Ay, qué hombre!

—¡Pero, mujer, ya no pueden durar más! ¿No sabes que los tengo desde el año 89, cuando fuiste a cantar al salón Romero?

—Lo que pasa es que no eres cuidadoso. Mira a don Serafín, que se compró un gabán cuando fué ministro y todavía lo tiene intacto. ¡Ése es un hombre limpio! ¡Ven aquí! Quiero ver el forro del chaleco. ¡Jesús! ¡Ya lo has roto!

—Pues está así desde el mes de junio. Me has dicho que lo vas a coser, pero siempre te olvidas. Ya te dije que me lo rompió Martínez en la oficina.

—¿Y por qué lo permitiste tú?

—Yo no puedo oponerme a las costumbres de esa casa. Ya sabes que Martínez es muy juguetón. Cuando llega a la oficina se pone a[2] hacer gimnasia encima de nosotros. Un día quiso levantarme y me cogió por el forro del chaleco. ¿Qué podía hacer yo?

—Muy bien. Te advierto que no quiero salir contigo, con un hombre tan sucio y tan abandonado. ¡Ea,[3] me voy!

—¿Te vas?

—Sí, señor. Y a ver si te limpias la americana con alcohol y te arreglas los flecos de los pantalones. Ahí tienes[4] aguja.

El esposo se quedó pensando, sentado en una silla baja, y la esposa salió a la calle de prisa.[5]

Ella es joven todavía; él pasa de[6] los cincuenta. Ama a su esposa y cree que es la mujer más inteligente y más bonita del mundo. Cuando la oye cantar, el pobrecito se entusiasma, y sin poder contenerse va a la cocina y dice a la criada:

—¿Has oído, Juliana?

—¿Qué?

—¿No oíste la voz de la señora?

—¡Ah! Sí, señor, pero creí que estaba reprendiéndole a usted.

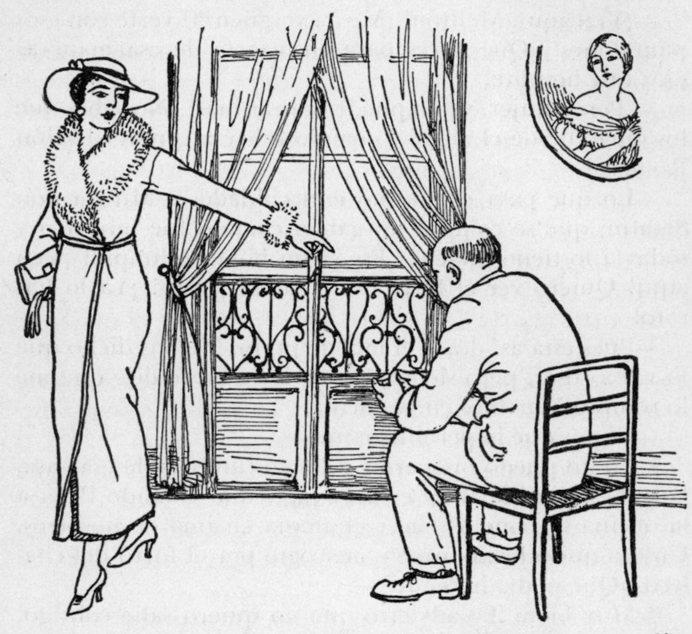

—No, mujer. Estaba cantando el bolero de *Los diamantes de la corona.*

—Pues, por los gritos parecía que estaban ustedes pegándose.

II

La mujer gasta en vestidos, sombreros y adornos casi todo el sueldo del esposo.

—Mira, Melitón,—le dice. —Necesito dinero para comprarme un gabán nuevo como el de Elena.[7]

—¿Qué Elena?

—La mujer del diputado provincial.

—¿Y cuánto costará?

—Veinte duros.

—¡Veinte duros!

—¿Qué? ¿Te parece caro?

—No digo eso.

—Es que creí que ibas a decir que no. ¿Qué son veinte duros? Yo no pido dos o tres mil reales como hacen otras. No me mires así; te conozco bien y sé que me estás criticando en tu interior.[8] Me casé contigo sacrificando mi juventud, porque me dijiste que no me faltaría[9] nada.

—Bueno, Laurita, no te enfades. Yo te daré los veinte duros.

—Y no creas que haces gran cosa. Soy joven, y no debo ponerme en ridículo.[10]

Como el esposo ha gastado todo el sueldo, su mujer le dice:

—¿No tienes dinero? Pues lo buscas. ¿No tienes un tío rico en Redondela? Pues le escribes, y le dices que necesitas urgentemente quinientas pesetas.

El esposo decidió al fin escribir al tío diciéndole que tenían que hacerle una operación en una pierna y que no tenía dinero para los gastos. El tío sintió compasión por su sobrino, y le envió las quinientas pesetas, con las cuales Laurita pagó su gabán.

Don Melitón regresó de su oficina muy contento.

—¡Mira!—le dijo la esposa mostrándole el gabán. ¡Y qué barato! Ochenta y cinco duros, nada más.[11]

—Sí,—contestó don Melitón. —Es un vestido precioso. Yo también he hecho una compra.

Laurita abrió los ojos con expresión de sorpresa.

—¿Qué?

—Esta cigarrera. ¿Sabes cuánto me ha costado? Dos pesetas.

—¿Dos pesetas por esa insignificancia?—gritó Laurita. ¿Negarás que eres un perdido? ¡Vete, vete pronto, que me dan ganas de[12] estrangularte!

Adapted from Luis Taboada: *Modelo de esposas*

NOTES

[1] **me da vergüenza** I am ashamed
[2] **ponerse a** to start to
[3] **¡ea!** so there!
[4] **tienes** is
[5] **de prisa** in a hurry
[6] **pasa de** is over
[7] **el de Elena** Helen's
[8] **interior** mind
[9] **no me faltaría** I would not lack
[10] **ponerse en ridículo** make oneself ridiculous
[11] **nada más** that's all
[12] **darle a uno ganas de** to feel like

ACTIVE VOCABULARY

el **adorno** adornment
ahí there
bonito, -a pretty
contento, -a happy
costar to cost
de esa manera in that way
durar to last
el **esposo** husband
gritar to cry out
la **juventud** youth
limpio, -a clean
la **manera** manner, way
negar to deny
la **peseta** peseta
el **vestido** dress, suit
ya no no longer

CUESTIONARIO

I

1. ¿Quién dice «Ven aquí, Melitón?»
2. ¿Desde cuándo tiene los pantalones?
3. ¿A dónde fué a cantar la esposa?
4. ¿Quién se compró un gabán?
5. ¿Cuándo se compró el gabán don Serafín?
6. ¿Qué clase de hombre es don Serafín?
7. ¿Qué ha roto don Melitón?
8. ¿Desde cuándo está así el chaleco?
9. ¿Dónde rompió Martínez el chaleco?
10. ¿A qué no puede oponerse el esposo?
11. ¿Cómo es Martínez?

12. ¿Qué hace Martínez en la oficina?
13. ¿Qué clase de hombre es don Melitón?
14. ¿Con qué va a limpiar él la americana?
15. ¿Dónde estaba sentado el esposo?
16. ¿Cómo salió la esposa?
17. ¿Cuándo se entusiasma don Melitón?
18. ¿A dónde va entonces?
19. ¿Qué ha oído Juliana?

II

1. ¿En qué gasta el sueldo la esposa?
2. ¿Para qué necesita ella dinero?
3. ¿Quién es Elena?
4. ¿Cuánto costará el gabán?
5. ¿Qué no pide Laurita?
6. ¿Qué sacrificaba la esposa?
7. ¿Qué ha gastado el esposo?
8. ¿Qué tiene don Melitón en Redondela?
9. ¿Cuántas pesetas necesita el esposo?
10. ¿Qué decidió al fin don Melitón?
11. ¿Qué le dice al tío?
12. ¿Para qué no tenía dinero?
13. ¿Qué sintió el tío por su sobrino?
14. ¿Qué pagó Laurita?
15. ¿Cómo regresó él de su oficina?
16. ¿Cuánto cuesta el gabán?
17. ¿Qué dice el esposo acerca del vestido?
18. ¿Qué compró don Melitón?
19. ¿Cómo abrió los ojos Laurita?
20. ¿Cuánto ha costado la cigarrera?

LOS DOS CONEJOS

POR entre unas matas,
Seguido de perros,
(No diré corría) ,[1]
Volaba[1] un Conejo.

De su madriguera
Salió un compañero,
Y le dijo: «Tente,
Amigo; ¿qué es esto?»

—«¿Qué ha de ser?»[2] responde.
«Sin aliento llego . . .
Dos pícaros galgos
Me vienen siguiendo.»

—«Sí, (replica el otro) ,
Por allí los veo . . .
Pero no son galgos.»
—«¿ Pues qué son?»—«Podencos.»

—«¿Qué? ¿Podencos dices?
Sí, como mi abuelo.[3]
Galgos y muy[4] galgos,
Bien vistos los tengo.»

—«Son podencos: vaya,[5]
Que no entiendes de eso.»
—«Son galgos te digo.»
—«Digo que podencos.»

En esta disputa,
Llegando los perros,
Pillan descuidados
A mis dos Conejos.

Los que por cuestiones
De poco momento
Dejan lo que importa,
Llévense[6] este ejemplo.

—Tomás de Iriarte

NOTES

[1] Use *was* and the present participle
[2] **¿qué ha de ser?** what can it be?
[3] **como mi abuelo** like fun they are
[4] **muy** indeed
[5] **vaya** come
[6] **llévense** take

LA VIUDITA

I

En el año 1834, todo el mundo hablaba en Arequipa de *la Viudita*; acerca de ella se contaban las más alarmantes historias. *La Viudita* era el terror de la ciudad entera. . . . ¡una alma del purgatorio que venía a visitar a los vivos!

En esos días, un hombrecillo de edad avanzada tenía una tienda de flores cerca del hospital de San Juan de Dios. Allí los visitantes del hospital compraban flores para sus parientes enfermos. En 1834, empezó a correr[1] el rumor de[2] que después de las diez de la noche salía de allí un espectro de forma femenina. Salía[3] vestido de negro, y se presentaba armado de una linterna cada vez que oía pasos de hombre por la calle. Se decía también que arrojaba la luz sobre la cara de los transeúntes, y luego volvía muy tranquilamente a la tienda de flores.

Esta noticia fué confirmada por varios ciudadanos. Desde entonces, nadie se sintió capaz de pasar por San Juan de Dios después de la hora fatal. Hubo más. Un buen hombre llamado don Valentín Quesada, quien no sabía nada de esto, pasó una vez por allí de noche y casi se murió del susto.

En vano la autoridad dispuso la captura del fantasma, pues no encontró hombres con valor para cumplir la orden. Y con todo esto aumentó el terror de los vecinos.

Al fin, el general don Antonio Gutiérrez de la Fuente, que era el prefecto del departamento, decidió ir en persona a encontrarse con[4] *la Viudita*. Una noche se puso la capa, cubriéndose parte de la cara con ella, y se dirigió al hospital de San Juan de Dios. Unos pocos pasos antes de llegar al lugar, se le presentó el fantasma, y le inundó la cara con la luz de la linterna.

El general sacó su pistola y, avanzando sobre *la Viudita*, le gritó:

—¡Ríndase o le mato!

El fantasma vaciló por un momento, y corrió después hacia la obscura tienda. El general penetró en la tienda, y cogió al fantasma por el cuello. Éste, viéndose perdido, se quitó el pañuelo negro que le cubría la cara y exclamó:

—¡Por Dios, señor general! ¡Sálveme Vd.!

Al ver la cara del fantasma el general se quedó atónito. ¡*La Viudita* era . . . era . . . una lindísima muchacha!

—¡Caramba!—dijo para sí La Fuente. ¡Si todas las almas del purgatorio son tan preciosas, no estaría mal[5] pasar allí una temporada!

II

Carlitos Béjar era el *don Juan* de Arequipa. Tenía la costumbre de hacer promesas de matrimonio, y después hacerse el[6] inocente, cuando le exigían el cumplimiento de sus promesas.

Una de sus novias fué la bellísima Irene, conocida por todos como joven seria y honesta. Como Carlitos no quiso formalizar su promesa, decidió ella vengarse. Vestida de negro y armada de linterna, le esperaba todas las noches cerca del hospital de San Juan de Dios. Pero, por presentimiento o casualidad, Carlitos cambió de camino.

Descubierta, al fin, *la Viudita* explicó el caso al general; éste se interesó a tal punto por la joven que hizo[7] venir a Carlitos a su presencia. No sabemos qué medios usó el general para reconciliarlos; el hecho es que ocho días[8] más tarde *la Viudita* y Carlitos recibían la solemne bendición sacramental.

Adapted from Ricardo Palma: *La Viudita*

NOTES

[1] **correr** circulate
[2] Do not translate
[3] it (subject)
[4] **encontrarse con** meet, encounter
[5] **mal** a bad idea
[6] **hacerse el . . .** pretending to be
[7] Causative construction
[8] **ocho días** a week

ACTIVE VOCABULARY

acerca de about
antes de before
aumentar to increase
avanzar to advance
después de after
enfermo, -a sick
entero, -a entire, whole
la forma form
el hecho fact
inocente innocent
luego then, afterwards
la noticia news, information
obscuro, -a dark
ponerse to put on
la presencia presence
salir to go out
usar to use

CUESTIONARIO

1. ¿Quién hablaba de *la Viudita*?
2. ¿Qué se contaban acerca de ella?
3. ¿Quién era *la Viudita*?
4. ¿A quiénes venía a visitar?
5. ¿Qué tenía un hombrecillo en esos días?
6. ¿Quiénes compraban flores?
7. ¿Para quiénes compraban flores?
8. ¿Cuándo salía el espectro?
9. ¿Cómo salía vestido?
10. ¿Qué tenía el espectro en la mano?
11. ¿A dónde volvía muy tranquilamente?
12. ¿Qué dispuso la autoridad?
13. ¿Quién era don Antonio Gutiérrez?
14. ¿Qué se puso una noche?
15. ¿A dónde se dirigió?
16. ¿Quién se presentó al general?
17. ¿Qué sacó el general?
18. ¿Qué le gritó el general a *la Viudita*?
19. ¿En dónde penetró el general?
20. ¿Qué cubría la cara del fantasma?
21. ¿Quién era *la Viudita*?
22. ¿Quién era Carlitos Béjar?
23. ¿Quién era Irene?
24. ¿Qué decidió Irene?
25. ¿A quién explicó el caso *la Viudita*?

UN SOÑADOR

I

Me hallaba yo en una choza al pie de los Andes. En aquella apartada región, la almohada que me ofrecieron me pareció mucho lujo. El dueño de la choza, hombre discreto y bondadoso, vino tirando del ronzal de mi mula para decirme:

—Cuidado, señor. Hay muchos ladrones por aquí.

Seguí su consejo. Até el ronzal a la mano izquierda (la derecha sirve para el revólver), y así mi mula y yo empezamos a dormir como dos hermanos.

La luna llena, que penetraba por los grandes agujeros del techo de paja, iluminó en un rincón la figura de un hombre que yo no había visto hasta entonces. No parecía dormir; miraba al cielo con las manos cruzadas como un santo. Sin mirarme, empezó a hablar:

—La luna llena no le dejará a Vd. dormir, señor . . .

El hombre parecía estar calculando el efecto de sus palabras.

—Siguiendo su luz hacia el norte, se[1] hallaría una mina de plata. También debe de[2] haber minas de oro. ¿Notó Vd., al pasar, esos montes rojos? Yo conozco el mineral . . . pero la gente no quiere oírme. Vd. viene buscando minas ¿no es verdad?

Hice un signo negativo. Entonces el hombre añadió:

—Bueno, no quiere confesarlo. No sé por qué todos me temen. Pero, mire Vd. esto.

Dudando un poco de su honradez, me acerqué a él, y vi que tenía en la mano un magnífico pedazo de oro.

—¿Por qué tiene este hombre tanto interés en conversar conmigo?—me pregunté. Pero al verle de cerca,[3] comprendí que no había razón para dudar de él. El *soñador* me miraba con una cara de santo.

Después de un corto silencio, empezó a contarme su vida:

—Conozco la tierra del oro. Allá fuí, hace dos años, con varios compañeros. Cruzamos ríos y bosques . . . Quince días, treinta días, cincuenta días. Los cocodrilos salían de las lagunas para mirarnos. En la noche no podíamos dormir con los gritos de los monos. Un día, vimos en el suelo latas de conservas, lo que[4] quería decir que otros habían pasado ya. Al fin, hallamos un guía que nos llevó en su embarcación.

—Al cruzar[5] *el rápido*, no hablen ni griten—nos recomendó.

Pero alguien tuvo miedo, y empezó a gritar. En ese mismo momento, cuando estábamos tan cerca de la tierra del oro, se hundió la embarcación. Nadamos y, con grandes esfuerzos, llegamos a la orilla. Allí ¡qué horror! estaban los que habían venido antes . . . todos muertos.

II

De repente, el hombre interrumpió su historia y miró hacia afuera con inquietud. Se[1] oyó un tiro, después otro. El buscador de oro cayó muerto. Me levanté nervioso con el revólver en la mano para defenderme.

—No dispare, señor. Es la policía.

La policía estaba allí representada por dos individuos fuertes, medio indios. Todo había sucedido tan de prisa que sólo se me ocurrió preguntar:

—¿Por qué han matado a este inocente?

Uno de los policías soltó una serie de interjecciones no muy delicadas. Sacó un cigarrillo con toda calma y, con voz falsa, dijo:

—Pobrecito,[6] ¿eh?— Y después, hablándole al muerto:

—¡Sinvergüenza, ladrón!

Sólo cuando la policía me devolvió mi reloj de oro y mi dinero, que sacaron de las ropas del *soñador*, pude creer que había pasado la noche con el peor bandido de la provincia.

Adapted from Ventura García Calderón: *Un soñador*

NOTES

[1] Use passive voice
[2] **debe de haber** there must be (indicates probability)
[3] **de cerca** at close range
[4] **lo que** what, which
[5] **cruzar** to shoot
[6] **pobrecito** poor fellow

ACTIVE VOCABULARY

el **cielo** sky
el **compañero** companion
corto, -a short
dormir to sleep
dudar to doubt
el **esfuerzo** effort
hacia toward
el **interés** interest
¿no es verdad? isn't it so?
el **norte** north
notar to notice
el **pie** foot
la **plata** silver
por aquí around here
suceder to happen
tirar to pull

CUESTIONARIO

I

1. ¿Dónde estaba la choza?
2. ¿Quién vino a hablar al autor?
3. ¿Qué clase de hombre era el dueño?
4. ¿Qué dijo el dueño de la choza?
5. ¿Para qué sirve la mano derecha?
6. ¿Cómo dormían el autor y su mula?
7. ¿Qué penetraba por los agujeros del techo?
8. ¿De qué era el techo?
9. ¿Qué iluminó la luna llena?
10. ¿Qué miraba el hombre?
11. ¿Cómo tenía las manos?
12. ¿Qué se hallaría siguiendo la luz de la luna?
13. ¿De qué color eran los montes?
14. ¿Qué signo hizo el autor?
15. ¿Qué tenía el hombre en la mano?

16. ¿Qué comprendió entonces el autor?
17. ¿Cómo le miraba el hombre?
18. ¿Qué empezó a contar el hombre?
19. ¿Qué tierra conoce el hombre?
20. ¿Con quiénes fué él allí?
21. ¿Qué cruzaron?
22. ¿Qué vieron en el suelo?
23. ¿A quién hallaron los hombres?
24. ¿A dónde llegaron los hombres?
25. ¿Quiénes estaban allí?

II

1. ¿Qué interrumpió el hombre?
2. ¿Qué se oyó?
3. ¿Quién cae muerto?
4. ¿Con qué se levanta el autor?
5. ¿Cómo estaba representada la policía?
6. ¿Cómo había sucedido todo?
7. ¿Qué dijo el policía al autor?
8. ¿Qué sacó uno de los policías?
9. ¿Qué devolvió la policía al autor?
10. ¿Con quién había pasado él la noche?

UNA BROMA DE CARNAVAL

(Historia para los bromistas)

MOVIDO por la curiosidad, entré un día en el sanatorio. Atravesé un obscuro corredor y llegué a la oficina del doctor. Allí debía pedir permiso para visitar el establecimiento.

Concedido el permiso, un ayudante me condujo en seguida a un amplio patio en donde había mujeres de todas las edades y condiciones; eran todas casos de aberración mental. El espectáculo de aquellas infelices me produjo una profunda sensación de dolor.

En un rincón caminaba una mujer cubierta de pies a cabeza. Mi curiosidad fué grande, pues como hacía calor,[1] no veía razón para tanta ropa.

—¿Tiene Vd. frío?—le pregunté.

—No—me contestó dulcemente, cubriéndose aún más. Los hombres podrían verme. Éste es un convento de monjas. ¿No comprendes?

Tal respuesta me desconcertó. Sin darme tiempo para responder, la loca añadió:

—Tú no comprendes nada. Mi amiga Isabel tuvo una gran desgracia[2] por dejarse ver de[3] los hombres, y yo no quiero correr su suerte.[4] ¿Comprendes ahora?

—Perfectamente—le contesté, asombrado de la manera de razonar de los locos.

—Isabel—continuó diciendo—era una mujer muy hermosa. Vivía con su padre, que era viudo. Todo el mundo la admiraba por su amabilidad y buenas costumbres. Recuerdo que iba a casarse con Enrique, joven abogado que la amaba tiernamente.

—Y él murió antes del matrimonio, ¿no es verdad?—añadí, para continuar la conversación.

—No. Isabel y su novio fueron un día a un baile de carnaval. Ése es el tiempo en que el diablo anda[5] suelto. Como hacía mucho calor,[1] Isabel se había quitado la careta. Después de los primeros bailes, iba del brazo de Enrique. De repente, un hombre vestido de diablo, con larga capa veneciana, se le acercó a decirle galanterías.

—Y después desapareció como por encanto—dije, pensando en las historias que me contaban mis abuelos.

—¿Que[6] desapareció? No. Se acercó a Isabel y con intención satánica le dijo en voz baja que esa noche iría a

verla en su casa. Isabel quiso sonreír para ocultar su vergüenza. Enrique, que oyó estas palabras, tuvo un momento de duda. ¿Quién era ese hombre que así hablaba a su futura esposa con tanta audacia?

—No olvides lo que me dijiste la otra noche—añadió al oído de Isabel el hombre de la capa veneciana. Por el tono y los ademanes, daba él señales de conocerla bien.

Diciendo esto, se deslizó rápidamente, confundiéndose con la muchedumbre.

La duda asaltó a Enrique. Isabel le ocultaba algo y había que pedirle explicaciones sobre el misterioso rival. Isabel se puso pálida no pudiendo dar satisfacción a las preguntas airadas de Enrique. Buscaron al espíritu diabólico, pero no le hallaron en ninguna parte.

—¿Y quién era ese Satanás?—interrumpí, intrigado por la narración.

La loca continuó sin prestar atención a mis palabras.

—Isabel no hallaba manera de disculparse. Sus explicaciones sólo contribuían a hacerla más y más sospechosa. ¿Por qué huyó aquel hombre? ¿Por qué habló en secreto? ¿Por qué se confundía Isabel? ¿Por qué mentía así? Enrique sintió odio y miedo de sí mismo, convencido ahora de la traición. Aquello destruía sus más puros ideales; sólo quería salir de aquel lugar maldito a llorar su desgracia. Mudo, atormentado por un mundo de visiones, salió a la calle con Isabel. Ya no oía, no quería oír: era la obsesión.

—Dejó a Isabel en casa de su padre y corrió calle abajo,[7] queriendo apartarse para siempre de aquel hogar. Isabel quedó en casa, en compañía de una vieja criada, llorando sin consuelo. Su padre había salido fuera de la ciudad. Enrique nunca volvió a ese hogar.

—¿Y dónde está Isabel ahora?—me atreví a preguntar, más y más intrigado.

—Isabel murió. Al ver que mi mejor amiga había muerto decidí yo hacerme monja. Por eso[8] estoy aquí. ¿Comprendes ahora por qué me cubro todo el cuerpo?

La loca acabó aquí su historia. Se apartó de mí, y se fué a esconder detrás de unos árboles.

Me fuí a la oficina. Allí el médico del establecimiento completó la historia. Isabel, la amiga de la loca, era . . . la loca misma.[9]

—Y ¿quién era el hombre de la capa veneciana?

—¿Quién era?—preguntó el doctor. —Su propio padre, que deseaba divertirse con una broma de carnaval. Regresó temprano del baile y partió esa misma noche a atender ciertos negocios. Cuando volvió de su viaje quiso explicar el caso a su hija, pero era ya demasiado tarde. En aquel cerebro no entraba más la razón.

Adapted from Eugenio Sellés: *Una broma de carnaval*

NOTES

[1] **hacer calor** to be warm
[2] **desgracia** misfortune
[3] **dejarse ver de** letting herself be seen by
[4] **correr su suerte** have her luck
[5] **anda** walks about, runs
[6] Do not translate
[7] **calle abajo** down the street
[8] **por eso** that is why, for that reason
[9] **misma** herself

ACTIVE VOCABULARY

amar to love
admirar to admire
apartarse to withdraw
el **caso** case, fact
desaparecer to disappear
detrás de behind
la **duda** doubt
en compañia de together with
el **espíritu** spirit
hallar to find
el **oído** ear
poder to be able
profundo, -a deep
puro, -a pure
rápidamente rapidly

CUESTIONARIO

1. ¿En dónde entró el autor?
2. ¿A dónde llegó?
3. ¿Qué debía solicitar?
4. ¿A dónde le condujo un ayudante?
5. ¿Había hombres en el patio?
6. ¿Dónde caminaba una mujer?
7. ¿Qué pregunta el autor?
8. ¿Qué desconcertó al autor?
9. ¿Qué tuvo Isabel?

10. ¿Cómo era Isabel?
11. ¿Con quién vivía ella?
12. ¿Quién era Enrique?
13. ¿Qué deseaba continuar el autor?
14. ¿A dónde fueron Isabel y su novio?
15. ¿Quién se presentó a Isabel?
16. ¿Qué quería ocultar Isabel?
17. ¿Qué asaltó a Enrique?
18. ¿A quién buscaron Isabel y Enrique?
19. ¿Qué sintió Enrique?
20. ¿Qué atormentaba a Enrique?
21. ¿En dónde dejó Enrique a Isabel?
22. ¿A dónde había salido el padre?
23. ¿Quién completó la historia?
24. ¿Quién era la amiga de Isabel?
25. ¿Con qué deseaba divertirse el padre?
26. ¿Cuándo partió el padre?
27. ¿Qué quiso explicar a su hija?
28. ¿Qué no entraba en aquel cerebro?

EL FIN DE UNA AVENTURA

I

El empleado que vendía billetes en la estación del Norte se quedó con la boca abierta al oír una vocecita infantil:

—Dos billetes de primera[1] . . . a París.

Casi sacando la cabeza por la ventanilla, pudo ver que la orden venía de una simpática morena de unos once

años, vestida con elegancia. Tenía de la mano a un caballerito de la misma edad que parecía también de muy buena familia. El chico miraba asustado. La niña estaba nerviosa.

En tono paternal el empleado preguntó:

—¿Directo o a la frontera? A la frontera son ciento cincuenta pesetas.

—Ahí tiene Vd. dinero—dijo la chica.

—Aquí no hay bastante.

—¡Hay quince duros y tres pesetas!—exclamó la pequeña viajera.

—Pues, no basta. Si quieren convencerse pregunten Vds. a sus papás.

Al oír esto, el caballerito se puso rojo. La chica, impaciente y dando una patadita[2] en el suelo, exclamó:

—Pues, déme otros más baratos.

—¿Cómo[3] más baratos? ¿De segunda,[1] de tercera?[1] ¿A una estación más cerca? ¿Escorial, Ávila?

—Eso es. ¡Ávila! ¡Justamente!

El empleado pensó. Después de unos segundos, como diciendo «¡A mí qué me importa!», entregó los billetes.

Salieron los chicos del andén y se metieron en el primer coche que hallaron. Muy pronto los dos comenzaron a bailar ante los ojos de un turista inglés que no salía de su asombro.

. . . .

II

¿Cómo había empezado esa amistad? Pues, de la manera más sencilla . . . por igualdad de gustos. Nuestros fugitivos novios eran ambos coleccionistas de sellos.

El papá de la niña Finita y la mamá de Francisco o Currín, como le llamaban todos, apenas se[4] conocían. Vivían, sin embargo, en la misma suntuosa casa del barrio de Salamanca. Currín y Finita se encontraban a menudo en la escalera al salir para la escuela.

Un día, Currín notó que Finita llevaba bajo el brazo un hermoso libro para sellos. ¡Ésa era la clase de libro que él quería! —Mi mamá debía comprarme uno así, ¡carambita!—se dijo. Finita, entusiasmada, ofreció mostrarle su colección. Y empezaron a hojear el álbum:

—Mira, esta página es para sellos del Perú . . . Mira los de Hawaí . . . Tengo la colección completa. Y ambos examinaron sellos, antiguos y modernos, de varias naciones. Currín se entusiasmaba y daba grandes muestras de alegría:

—¡Caracoles! ¡Éste sí que es[5] hermoso! ¡Éste no lo tengo!

Al fin, al llegar a uno muy raro de Liberia, Currín no pudo contenerse:

—¿Me lo das?

—Tómalo—dijo Finita.

—Gracias, hermosa—contestó el galán.

Al oír esto, Finita se puso roja. Entonces Currín notó lo[6] hermosa que era su vecina.

—¿Sabes? Tengo que decirte una cosa—murmuró el chico.

—¿Qué?

—Mañana te lo diré. Hoy no—dijo el muchacho con temor.

En ese momento llegó la doncella francesa a decir a la niña que debía partir a la escuela.

Currín quedó contentísimo con su sello. Era un muchacho de carácter dulce. Sus lecturas favoritas eran los dramas tristes y las novelas de aventuras. Desde que coleccionaba sellos, soñaba también con[7] viajes, a lo cual contribuían mucho sus lecturas de Julio Verne.

III

Al día siguiente, Currín trajo a Finita los sellos duplicados que halló en su colección.

—Aquí te traigo esto—dijo.

Finita le dió las gracias. Sin embargo, no parecía estar satisfecha. En efecto, esperaba otra cosa. Al fin, acercándose a Currín, le dijo en voz baja:

—¿Y . . . y[8] aquello?

—¿Qué?

—Lo que me ibas a decir ayer.

—¡Ah! No era nada.

—¿Cómo nada?—articuló Finita con disgusto. —¡Parece que tienes mala memoria! Nada ¿eh?

El muchacho la miró asustado sin atreverse a decir esta boca es mía. Por último, haciendo un esfuerzo:

—Era sólo para decirte que eres muy guapita.

Y salió corriendo, espantado de lo que había dicho.

Al día siguiente, Currín escribió unos versos, muy malitos, pero, en fin, versos, que había sacado de un libro que le prestó un compañero. Currín estaba enamorado: empezó a cuidar de su ropa, se compró corbata nueva y suspiraba a solas.

Al fin de la semana eran *novios*. La doncella francesa los dejaba solos mientras conversaba con su compatriota, el cocinero.

Un día, el portero vió pasar a Finita con aire resuelto y después a Currín. Creyó que soñaba. El caballero y la señorita tomaban un coche y salían de viaje.

—¡Jesús, María y José! ¡Qué tiempos son éstos! ¿Qué hacer?

....

IV

—Oye tú—decía Finita a Currín, cuando el tren ya iba en marcha. —Ávila es muy grande ¿verdad? ¿Más bonita que París?

—No—decía Currín, con escepticismo—debe de ser un pueblo de pesca.

—Pues entonces, no debemos quedarnos ahí. Seguiremos a París.

—¿Y . . . el dinero?

—Tontín. ¡Lo pedimos prestado!

—¿A quién?

—A cualquiera.

—Pero si[9] nadie nos conoce . . .

—Pues, vendemos este reloj pulsera mío y después escribimos a casa y nos enviarán un cheque . . . Papá está siempre mandando cheques a París y a todas partes.

—Tu papá debe estar echando chispas . . . como mi mamá.

—Vaya, venderemos este reloj . . . ¡Ay! ¡No sabes, Currín, cuánto nos vamos a divertir en Ávila! Me llevarás al teatro, al café . . . al paseo . . . ¿verdad?

De repente, se[10] oyó una voz: —¡Ávila! ¡Veinte y cinco

minutos! Currín y Finita salieron del coche y llegaron al andén. Allí no sabían qué hacer.

V

El señor gobernador acababa de recibir un telegrama de los afligidos padres. Se[10] hizo la captura de los *novios*, no sin risas de unos y exclamaciones de otros. Fueron enviados a Madrid y allí Finita fué puesta en una escuela, y Currín en otra, de donde no le permitieron salir ni los domingos.

Con motivo del «triste suceso», la madre de Currín y el padre de Finita, que eran viudos, se[4] conocieron. Hubo largas conferencias con las cuales comenzó una sincera amistad. Y hay quien dice que se[4] visitan a menudo, y que van a escaparse como Currín y Finita.

Adapted from Doña Emilia Pardo Bazán: *Temprano y con sol*

NOTES

[1] Supply *class*
[2] **dando una patadita** stamping her foot
[3] **¿cómo . . . ?** what do you mean . . . ?
[4] Reciprocal
[5] **sí que es** is indeed
[6] **lo . . . que** how
[7] **soñar con** to dream of
[8] **¿y . . . ?** what about . . . ?
[9] Do not translate
[10] Use passive voice

ACTIVE VOCABULARY

al + *infinitive* = upon + *present participle*

ambos, -as both
completo, -a complete
comprar to buy
dulce sweet
entregar to hand over
la **familia** family
importar to matter
justamente precisely
el **motivo** reason
ponerse rojo to blush
el **teatro** theater
la **vecina** neighbor
el **verso** verse
visitar to visit

CUESTIONARIO

I

1. ¿Quién vendía billetes?
2. ¿De quién venía la orden?
3. ¿Cómo estaba vestida la niña?
4. ¿A quién tenía de la mano?
5. ¿Cómo miraba el chico?
6. ¿Cómo estaba la niña?
7. ¿Qué preguntó el empleado?
8. ¿Cuánto dinero tenía la niña?
9. ¿A qué ciudad iban?
10. ¿Dónde se metieron los chicos?

II

1. ¿Qué eran los fugitivos novios?
2. ¿Cuál es el nombre de la niña?
3. ¿En dónde se encontraban los niños?
4. ¿Qué llevaba Finita un día?
5. ¿Qué examinaron los niños?
6. ¿Qué pidió Currín a Finita?
7. ¿Dijo Currín algo a Finita?
8. ¿Qué murmuró el chico?
9. ¿Quién llegó en ese momento?
10. ¿Con qué quedó contento Currín?
11. ¿Cómo era el carácter de Currín?
12. ¿Qué novelas leía?

III

1. ¿Qué trajo Currín a su amiga?
2. ¿Qué dijo la niña en voz baja?
3. ¿Cómo la miró el niño?
4. ¿Cómo salió Currín?
5. ¿Cómo eran los versos de Currín?

6. ¿De qué empezó a cuidar Currín?
7. ¿Qué eran al fin de la semana?
8. ¿Quién vió pasar a Finita?
9. ¿Qué tomaban los niños?

IV

1. ¿Conoce alguien a los niños?
2. ¿Qué desea vender Finita?
3. ¿Qué les enviarán?
4. ¿Qué se oyó de repente?
5. ¿De dónde salieron los niños?

V

1. ¿Quién recibió un telegrama?
2. ¿A dónde fueron enviados los niños?
3. ¿Dónde fué puesta Finita?
4. ¿Quiénes se conocieron?
5. ¿Qué hubo entonces?
6. ¿Se visitan los padres?

EL CRIMEN DE LA CALLE DE LA PERSEGUIDA

I

—AUNQUE nadie me[1] lo cree, soy un asesino.

—¿Cómo es eso, don Elías?—pregunté riendo, mientras llenaba su copa de cerveza.

Don Elías es el hombre más prudente y bondadoso de la oficina de telégrafos. Ante un superior es incapaz de la menor protesta.

—Sí, señor . . . , hay momentos en la vida en que el hombre más pacífico . . .

—A ver, a ver; cuente Vd. eso,—dije, movido por la curiosidad.

—Fué en el invierno del año 1878. Como había quedado sin ocupación, me fuí a vivir con una hija casada que tengo en Oviedo. Mi vida era demasiado buena: comer, pasear, dormir. Comíamos invariablemente a las ocho. Después iba yo a visitar a doña Nieves, una señora viuda que vivía en la calle de la Perseguida. Estaba seguro de encontrar allí a algunos conocidos. Nunca llegaba después de las nueve; en cambio, me retiraba siempre a las diez y media en punto.[2]

Cierto día, me despedí como de costumbre a esa hora. Como doña Nieves era persona muy económica, no tenía luz en la escalera. Al salir, la criada alumbró con la lámpara de la cocina. Cerrada la puerta, quedé casi en completa obscuridad, pues la luz de la calle era escasísima.[3]

Iba a dar el primer paso cuando alguien me dió un fuerte golpe en la cabeza, y me metió el sombrero hasta[4] las narices. El miedo me paralizó. Me acerqué a la pared tratando de sacarme el sombrero que no me dejaba ver.

—¿Quién va?—pregunté aterrado.

Nadie respondió. ¿Quiénes serían[5] los agresores? ¿Sería[5] una broma de algún amigo? ¿Tratarían[5] de robarme? Empezaba a caminar cuándo me dieron una bofetada en la cara y cuatro o cinco hombres se acercaron a mí.

—¡Socorro!—grité en voz débil. Los hombres, acercándose aún más, empezaron a gesticular y a bailar en la forma más extravagante. El terror no me dejaba dar un paso.

—¿A dónde vas a estas horas, ladrón?—me dijo uno.

—Va a robar a algún muerto. Es el médico—dijo otro.

Entonces sospeché que estaban borrachos.

—¡Fuera! ¡Si no me dejan pasar mato a uno!—exclamé, levantando el bastón de hierro que llevaba por las noches. Pero los hombres siguieron bailando ante mí con grotescos movimientos, sin prestarme la menor atención.

—¡Fuera!—volví a gritar. Ya no tenía dudas. Estaban borrachos.

—¡Ríndete, perro!—dijo uno de ellos. ¿Vas a cortarle

una pierna a un muerto? ¿Vas a cortarle una oreja? ¡Ladrón, ladrón!

Al mismo tiempo avanzaron más hacia mí. Uno de ellos extendió un brazo, y me dió una bofetada en la cara. Con un salto pude apartarme un poco. Ciego de ira, levanté el bastón, y di un tremendo golpe al que venía delante. Cayó pesadamente al suelo. Los otros huyeron.

Quedé solo. El hombre no se movía. Entonces me asaltó la idea de que lo había matado. Con mano trémula, saqué la caja de cerillas. A la luz de un fósforo vi en el suelo a un hombre muerto. Me quedé aterrado. El fósforo cayó de mis dedos, y quedé otra vez en completa obscuridad. Tenía la visión del muerto fija en la mente . . . Era un hombre corpulento, de barba negra y nariz larga. Por la ropa parecía ser obrero.

II

Allí en la obscuridad pensé en mil cosas. Vi con perfecta claridad lo que iba a suceder:[6] la muerte de aquel hombre publicada en todos los periódicos, la policía que venía a mi casa, la desesperación de mi hija, el proceso,[7] y después la prisión. ¿Qué hacer? Mi única salvación estaba en evadir la justicia. Caminé junto a la pared por el lado más obscuro, con dirección a la calle de San Joaquín. De repente, vi que un guardia civil se acercaba.

—Don Elías, ¿puede Vd. decirme . . . ?

No oí más. Eché a correr hasta llegar a las afueras de la ciudad. Allí pude reflexionar. ¡Qué error! Aquel guardia me conocía. Mi conducta se prestaba a toda sospecha. Lleno de temor me dirigí a casa, y no tardé en llegar a ella. Fuí derecho a mi cuarto, y cambié el bastón de hierro por otro más liviano y flexible. Cuando mi hija se acercó sorprendida, inventé una cita en el casino y salí. En el casino traté de estar contento y de mostrar a todos mi flexible bastón. Lo doblaba, me golpeaba los pantalones con él, lo dejaba caer. En fin, no quedó nada por hacer.

Cuando terminó la reunión del casino, estaba más sereno. Pero al llegar a casa y al encontrarme solo en mi cuarto volví a pensar en el muerto. Quise dormir pero fué imposible. A cada momento esperaba oír gente a la puerta. Por fin, a las cuatro de la mañana me dormí.

III

La voz de mi hija me despertó.

—¡Ya son las diez, padre! ¿Ha pasado mala noche?

—Al contrario, hija mía. He dormido perfectamente.

No tenía confianza ni[8] en mi hija. Luego añadí con naturalidad forzada:

—¿Ha venido *El Eco del Comercio*?

—Ya lo creo.

—Tráemelo.

Abrí el periódico con ansiedad. De pronto vi en grandes letras: EL CRIMEN DE LA CALLE DE LA PERSEGUIDA, y me quedé aterrado. Miré otra vez. Había sido una alucinación. Al fin, hallé un artículo que decía:

«SUCESO EXTRAÑO

«En el Hospital Provincial tienen la costumbre de servirse de[9] locos pacíficos para diferentes trabajos. Anoche cuatro de ellos encontraron abierta la puerta que da acceso al parque de San Ildefonso y se escaparon con un cadáver. Informado del caso, el señor administrador hizo investigaciones. A la una de la mañana se presentaron los mismos locos en el hospital, pero sin el muerto. Éste fué hallado por el sereno frente a la casa de doña Nieves Menéndez. Creemos necesario evitar, por todos los medios posibles, estos hechos escandalosos.»

Dejé caer el periódico y tuve un ataque de risa convulsiva.

—¿De manera que Vd. había matado a un muerto?

—Precisamente.

Adapted from Armando Palacio Valdés: *El crimen de la calle de la Perseguida*

NOTES

[1] me of me
[2] en punto sharp
[3] escasísima very dim
[4] hasta down to
[5] Conditional of probability
[6] suceder to happen
[7] el proceso trial
[8] ni not even
[9] servirse de to make use of

ACTIVE VOCABULARY

la atención attention
cambiar to change
casi almost
cortar to cut
la criada servant, maid
débil weak
derecho directly, straight
en cambio on the other hand
extender to extend
fijo, -a fixed
el hierro iron
la idea idea
la justicia justice
el paso step
el perro dog
precisamente precisely
ya lo creo yes, indeed

CUESTIONARIO

I

1. ¿Dónde trabaja don Elías?
2. ¿De qué es incapaz don Elías?
3. ¿Dónde tenía él una hija casada?
4. ¿Cómo era su vida?
5. ¿A qué hora comían ellos?
6. ¿A quién iba a visitar don Elías?
7. ¿Quién era doña Nieves?
8. ¿A quiénes encontraba allí?
9. ¿Cuándo se retiraba don Elías?
10. ¿Qué clase de persona era doña Nieves?
11. ¿En dónde no tenía luz?
12. ¿Era buena la luz de la calle?
13. ¿En dónde le dieron una bofetada?

14. ¿A dónde se acercó don Elías?
15. ¿Qué preguntó él?
16. ¿Cuándo le dieron una bofetada?
17. ¿Cuántos hombres se acercaron a él?
18. ¿Qué dijo uno de los hombres?
19. ¿Qué sospechó don Elías?
20. ¿Qué exclamó entonces?
21. ¿De qué era su bastón?
22. ¿Cuándo llevaba este bastón?
23. ¿Qué dijo uno de los hombres?
24. ¿A quién dió un golpe don Elías?
25. ¿Qué sacó don Elías?
26. ¿Qué vió en el suelo?

II

1. ¿A dónde vendría la policía?
2. ¿Por dónde caminó don Elías?
3. ¿A quién vió él de repente?
4. ¿Dijo algo el guardia?
5. ¿Dónde pudo reflexionar don Elías?
6. ¿Quién conocía a don Elías?
7. ¿A dónde se dirigió él?
8. ¿Qué cambió entonces?
9. ¿Qué inventó don Elías?
10. ¿Qué deseaba mostrar él?
11. ¿Cuándo estuvo más sereno?
12. ¿Cuándo volvió a pensar en el muerto?
13. ¿Qué esperaba oír él?

III

1. ¿Qué preguntó la hija al padre?
2. ¿Qué preguntó don Elías?
3. ¿Cómo abrió don Elías el periódico?
4. ¿Qué halló al fin?
5. ¿Cómo estaba la puerta del hospital?

6. ¿Con qué se escaparon los locos?
7. ¿Qué hizo el administrador?
8. ¿Cuándo se presentaron los locos en el hospital?
9. ¿Dónde fué hallado el muerto?
10. ¿Qué dejó caer don Elías?

EL POZO

En el borde de un viejo pozo hay una cruz de madera cuya imagen se refleja claramente en el fondo. Trae a la memoria una historia trágica.

Hace ya mucho tiempo, un viajero, cansado de tanto caminar, se sentó en el borde de piedra para descansar y refrescar la frente con el aire fresco que subía del tranquilo pozo.

El cansancio, la noche y el sueño allí le sorprendieron. Perdió el equilibrio y cayó. No tuvo tiempo ni para dar un grito. Medio dormido, había caído llevando tras sí[1] algunos pedazos de tierra. Luchó desorientado en el fondo del pozo hasta encontrar la superficie del agua. Sus dedos nerviosos se agarraban a las paredes; apenas podían sostenerle. Allí quedó, solo, con la cabeza fuera del agua, tratando de recuperar el ritmo de la respiración.

Miró hacia arriba.[2] El mismo círculo . . . allá arriba, más lejos sin embargo, y en cuyo centro empezaba a brillar una estrella.

Se oyeron unas voces que pasaban no muy lejos, débiles, confusas. Sintió frío y, aterrado, dió un grito. Nada. Hizo un movimiento y el agua onduló alrededor. El miedo contrajo sus músculos, y movido por nueva fuerza, empezó a subir poco a poco, mirando siempre el fin lejano . . .

Más de una vez la tierra cedió, cayendo abajo como fina lluvia; entonces suspendía su acción, esperando la vuelta de sus fuerzas. Un mundo de energías nacía a cada instante. Con nuevos impulsos llegó al fin al borde, exhausto, incapaz de gozar el fin de su martirio.

Allí quedó, sin fuerzas, con medio cuerpo afuera, mirando fijamente la forma de un árbol, y creyendo que todo era un sueño.

Alguien pasó por allí, seguramente algún gaucho del lugar. El viajero pidió ayuda. Pero la reacción del supersticioso campesino fué hostil ante aquella aparición. Hizo el signo de la cruz y dió unos pasos atrás . . . ¡El diablo salía del pozo!

El infeliz viajero hizo el último esfuerzo para hablar, pero era ya demasiado tarde. El campesino se acercó con una enorme piedra y la dejó caer sobre la visión, que desapareció absorbida por la tierra.

Ahora todos los habitantes de la región conocen el pozo, y en su borde de piedra la vieja cruz defiende a los cristianos de las apariciones del diablo.

Adapted from Ricardo Güiraldes: *El pozo*

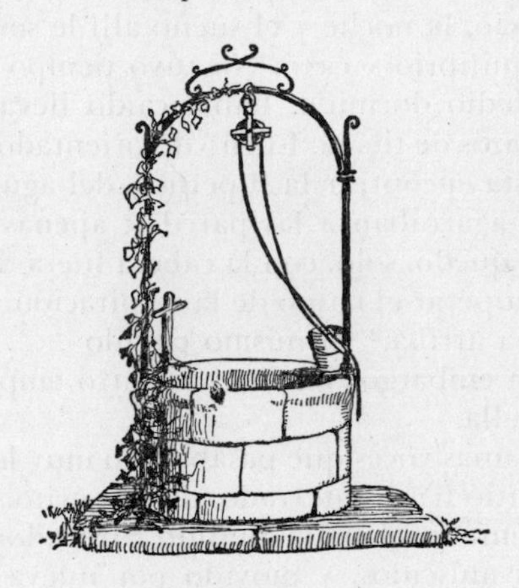

NOTES

[1] tras sí with him

[2] hacia arriba up

ACTIVE VOCABULARY

la acción action
caer to fall
el centro center
la estrella star
fino, -a fine
el fondo bottom
fresco, -a cool
el frío cold
hace mucho tiempo a long time ago
el movimiento movement
sostener sustain, support
subir to go up, ascend
el sueño sleep
una vez once
la vuelta return

CUESTIONARIO

1. ¿Dónde hay una cruz de madera?
2. ¿Cómo se refleja su imagen?
3. ¿Qué trae la cruz a la memoria?
4. ¿Dónde se sentó el viajero?
5. ¿Qué quería refrescar?
6. ¿Cómo era el aire del pozo?
7. ¿Cómo había caído?
8. ¿Qué llevó tras sí?
9. ¿Dónde luchó?
10. ¿A qué se agarraban sus dedos?
11. ¿Hacia dónde miró?
12. ¿Qué empezaba a brillar?
13. ¿Cómo eran las voces que pasaban?
14. ¿Cómo empezó a subir?
15. ¿Qué nacía a cada instante?
16. ¿Cómo llegó al fin al borde?
17. ¿Qué miró fijamente?
18. ¿Quién pasó por allí?
19. ¿Qué hizo el campesino?
20. ¿Quién salía del pozo?
21. ¿Qué hizo el viajero?
22. ¿Con qué se acercó el campesino?
23. ¿Quiénes conocen el pozo ahora?
24. ¿A quiénes defiende la cruz?

EL BURRO FLAUTISTA

Esta fabulilla,
Salga bien o mal,
Me ha ocurrido ahora
Por casualidad.

Cerca de unos prados
Que hay en mi lugar,
Pasaba un Borrico
Por casualidad.

Una flauta en ellos
Halló, que un zagal
Se[1] dejó olvidada
Por casualidad.

Acercóse[2] a olerla
El dicho animal;
Y dió un resoplido
Por casualidad.

En la flauta el aire
Se hubo de colar;[3]
Y sonó la flauta
Por casualidad.

«¡Oh!, —dijo el Borrico:—
¡Qué bien sé tocar!
¡Y dirán que es mala
La música asnal!»

Sin reglas del arte,
Borriquitos hay
Que una vez aciertan
Por casualidad.

Tomás de Iriarte

NOTES

[1] Do not translate
[2] acercóse = se acercó
[3] se . . . colar must have entered

PARRÓN

I

El Excelentísimo Sr. D. Eugenio Portocarrero, conde del Montijo y Capitán General de Granada, sentado en su despacho, estaba aquel día de mal humor. Hacía[1] tres años que él y su compañía de guardias civiles buscaban al famoso bandido Parrón, monstruo feroz que asesinaba a todos los que caían en su poder. Hasta aquel día no tenían ni las señas de su persona. Si alguien le había visto, no había quedado con vida para contar su desgracia.

En aquel momento se abrió la puerta, y penetró un guardia seguido de un gitano flaco. Éste, después de muchas reverencias, dijo con calma:

—Vengo a darte las señas de Parrón, y a recibir los mil reales que has ofrecido.

El señor capitán se puso de pie de un salto.[2]

—¿Cómo?

—Que[3] he conocido a Parrón y vengo a darte sus señas.

—Tú conoces a Parrón? ¿Sabes lo que dices? ¿Ignoras que es el bandido más feroz de estas sierras?

El gitano se rió.

—Ayer por la tarde caímos mi burro y yo en poder de unos ladrones. Me llevaron a su campamento y allí quedé hasta la noche. Durante todo el camino pensaba yo: ¿serán[4] éstos los bandidos de Parrón? Si lo son,[5] me matan, porque ese maldito asesina a todos los que le han visto la cara. Mi terror iba creciendo. Llegada la noche,[6] se presentó un hombre vestido con mucho lujo, y sonriendo con gracia me dijo:

—¡Yo soy Parrón!

—Al oír esto, me puse de rodillas[7] temblando y exclamé: ¡Bendita sea tu alma, rey de los hombres! Yo soy amigo tuyo. ¿Quieres que te diga la suerte? ¿Quieres que te enseñe a cambiar burros muertos por burros vivos? ¿Quieres que le enseñe francés a una mula?

—¿Y qué respondió Parrón a todo eso?

—Pues, se rió, como usted, señor capitán.

—¿Y tú?

—Le tomé la mano para decirle la suerte.

—¿Y qué le dijiste?

—Empecé a gritar y dejé caer la mano. Entonces le dije: —Aunque me quites la vida, Parrón, no puedo cambiar la suerte que veo en tu mano. Morirás ahorcado.

—Ya lo sé—respondió el bandido con toda tranquilidad. —Dime cuándo.

—Me puse a calcular. Si me perdona la vida podré ir a Granada en un día a informar a los guardias. Seguramente en menos de un mes le habrán ahorcado.

—El mes que viene—respondí.

—Parrón pensó por un momento. —Bueno—dijo. —Vas a quedarte aquí. Si no me ahorcan en un mes, te ahorco yo a ti. Diciendo esto, se fué por entre unos árboles.

—Ya comprendo—dijo el Capitán General. —Parrón ha muerto y tú has quedado libre.

—Al contrario, mi capitán. Parrón vive. Tú no lo has oído todo. Al día siguiente, trajeron los bandidos a un campesino a quien le habían robado veinte duros. El pobre lloraba y gritaba tanto que los bandidos le dejaron marcharse. Media hora más tarde volvió con Parrón, quien le había encontrado en el camino dando gritos. —¡Imbéciles!—dijo Parrón. —Dadle a ese pobre su dinero. ¿No oís lo que dice? ¡Tiene mujer e hijos!

—Los bandidos, bastante sorprendidos, le[3] entregaron al hombre los veinte duros. Éste, después de dar las gracias, empezó a caminar. No había caminado más de veinte pasos cuando Parrón le descargó dos tiros. El pobre hombre cayó muerto. —Ahora podéis robarle—dijo Parrón. —¡Sois unos imbéciles!

—¡Qué bruto![8]—exclamó el capitán. —Y tú ¿qué tienes que ver con[9] todo esto?

—Verás. El bandido que debía vigilarme corrió a recibir su parte del dinero robado y durante la confusión, desaparecí como sólo un gitano puede desaparecer. Y estoy aquí para darte las señas.

II

Pasaron quince días. El Excelentísimo Sr. D. Eugenio Portocarrero había buscado al bandido Parrón por todas partes sin éxito alguno.[10] Una mañana daba órdenes a su compañía frente a una multitud de curiosos que presenciaban el espectáculo. El gitano que había dado las señas se puso a mirar también. De repente, fijó los ojos en uno de los guardias, un tal Manuel, y echó a correr con toda la fuerza de sus piernas. Manuel levantó el fusil y disparó. Pero otro guardia tuvo tiempo de cambiar la dirección del arma al momento de disparar.

—¡Está loco! ¡Manuel está loco!—dijeron varios.

Entretanto trajeron al gitano, quien decía a toda voz:

—¡Quiero ver al capitán! ¡No quiero que me mate Parrón!

—¿Estás loco también? ¿Qué dices?

—Venid, venid conmigo.

Y mostrando a Manuel, dijo:

—Ése, ése es Parrón.

—¡Parrón! ¡Un guardia civil era Parrón!—exclamaron muchas voces.

A la semana siguiente Parrón fué ahorcado. Así se cumplió la profecía del gitano. Recibió éste los mil reales y se marchó por el camino real.

Adapted from Pedro Antonio de Alarcón: *La buenaventura*

NOTES

[1] **hacía tres . . . buscaban** for three years . . . had been looking for
[2] **se . . . salto** he jumped up
[3] Do not translate
[4] Future of probability
[5] **si lo son** if they are
[6] **llegada la noche** when night came
[7] **ponerse de rodillas** to kneel down
[8] **¡qué bruto!** what a brute!
[9] **tener que ver con** to have to do with
[10] **sin éxito alguno** without any success

ACTIVE VOCABULARY

alguien someone
el **árbol** tree
el **arma** weapon
bendito, -a blessed
la **calma** calm
caminar to walk
de repente suddenly
la **desgracia** misfortune
la **dirección** direction
durante during
frente a before
la **fuerza** strength
ofrecer to offer
perdonar to pardon
quedar to remain, to be
el **rey** king
robar to steal

CUESTIONARIO

I

1. ¿Dónde estaba sentado el capitán general?
2. ¿A quién buscaban él y sus guardias?
3. ¿Qué no tenían hasta aquel día?
4. ¿Quién penetró en el despacho?
5. ¿Qué venía a recibir el gitano?
6. ¿Cómo se puso de pie el capitán?
7. ¿A quiénes encontró el gitano?
8. ¿A dónde le llevaron?
9. ¿A quiénes mata Parrón?
10. ¿Cómo estaba vestido Parrón?
11. ¿Qué dijo Parrón?
12. ¿A quién desea enseñar francés el gitano?
13. ¿Para qué le tomó la mano el gitano?
14. ¿Cómo morirá Parrón?
15. ¿Qué respondió el bandido?
16. ¿A quiénes quería informar el gitano?
17. ¿Por dónde se fué Parrón?
18. ¿Quiénes trajeron a un campesino?
19. ¿Cuánto dinero le habían robado?
20. ¿Qué hacía el pobre hombre?
21. ¿Dónde encontró Parrón al campesino?
22. ¿Cuándo empezó a caminar el campesino?
23. ¿Cuándo desapareció el gitano?

II

1. ¿Cuántos días pasaron?
2. ¿Dónde habían buscado a Parrón?
3. ¿Qué hacía el capitán general frente a una multitud?
4. ¿Quién se puso a mirar también?
5. ¿En quién fijó los ojos?
6. ¿Quién era el guardia?
7. ¿Cómo echó a correr el gitano?

8. ¿Qué hizo Manuel?
9. ¿Qué dijeron algunos?
10. ¿A quién quiere ver el gitano?
11. ¿Quién era Manuel?
12. ¿Qué exclamaron muchas voces?
13. ¿Cuándo fué ahorcado Parrón?
14. ¿Qué profecía se cumplió?

LAS TRES COSAS DEL TÍO JUAN

I

TODO el mundo sabía que Apolinar había perdido la cabeza por Lucía. Él, cerca de los veinticinco, no pobre y de buena presencia; ella, guapa, robusta y sobre todo rica. Sólo faltaba para el matrimonio el permiso del tío Juan, padre de la dama de nuestra historia.

El tío Juan era un hombrón más terco que una mula, cualidad de que estaba orgulloso. Ante él Apolinar se sentía confundido. Pero ya le había dicho su Lucía: —Apolinar, no más palabras ni tonteos. Si quieres hablarle a mi padre, anda;[1] lo que él diga, eso será.[2]

Y estas palabras le habían decidido a lanzarse. Se dirigió a la bodega, tragando saliva.[3]

—¡Tío Juan; eh, tío Juan!

—¡Aquí! ¿Eres tú? En esta obscuridad no se ve nada.

El tío Juan estaba trabajando en mangas de camisa. Era un hombre de pelo[4] en pecho, un poco canoso; sudando como estaba, parecía un oso polar.

—¿No se figura Vd. a qué vengo?

—A tomar[5] un vaso de vino.

—No, señor, a tomar[5] un parecer.

—Pues, anda, suéltala.

—No sé cómo decirle. Lucía me tira[4] un poco, un pocazo,[4] para decir las cosas como son. Y como me parece que yo también le tiro otro poco y las cosas van por buen camino,[6] venía a ver qué le parece a Vd. todo este «tiraero.»[4]

El tío Juan se dió dos golpazos en la frente y se fué a buscar algo, diciendo:

—La cuestión está entre un sí y un no. Tomaremos antes un vaso para alumbrar la cabeza.

Y después de beber, se quedó el tío Juan como un hermoso y prudente buey, que no pone la pata sino en terreno firme. Al fin declaró:

—Apolinar, si quieres casarte con mi Lucía, has de[7] hacer tres cosas.

—Y hasta trescientas.

—Las tres cosas que pido son éstas: que me traigas todos los días una pluma de la primera gallina que salga al patio al romper el alba, para hacerme un remedio de[8] este dolor de cintura que a veces no me deja respirar; que puedas morder la hierba estando de pie, doblando el cuerpo, pero sin doblar las piernas; que me traigas fuego en la palma de la mano el día de mi santo, pero ha de[7] ser con calma, sin correr ni soplar ni sacudirse.

—¿Nada más?

—No, con eso basta.

II

A la hora del alba, cumplió Apolinar con la primera condición. No sabiendo qué hacer a tales horas de la mañana, se fué a hablar a los trabajadores.

—A ver, muchachos. Un litro de vino al que pueda morder la hierba, sin doblar las piernas.

Cuatro o cinco de los mozos salieron del grupo y, doblándose, hizo cada uno lo que se pedía, sin mayores dificultades.

—A ver, yo . . .

Cada vez que Apolinar intentó hacerlo, se dió un golpe en la cabeza.

—Para eso hay que[9] darle trabajo al cuerpo, todos los días, cavando las viñas—comentó uno de los trabajadores.

—Bueno, traigan un azadón. Éste es muy liviano, otro . . .

Ése fué el principio de una vida nueva. Apolinar trabajaba más que ninguno. Al ponerse el sol,[10] volvía a casa, satisfecho del trabajo diario.

Después de muchos meses los resultados habían de[7] llegar. Como la viña de Apolinar no había otra. También él era otro hombre: sentía el amor sano y fuerte a la tierra, el amor a lo suyo, el gozo íntimo del que ve la semilla que crece y se reproduce.

Con el trabajo se le endurecían[11] las manos, y el cuerpo adquiría agilidad. Todos los días, a la hora del alba, cumplía Apolinar fielmente con la primera condición.

¡Y yo que antes perdía el tiempo en el club jugando a las cartas! ¡Maldita esa vida que nos priva de esta gloria, de esta bendición de Dios derramada por los campos!

Llegó el día de la prueba. No pudo Lucía convencer a su padre de que debía presentarse, por lo menos ese día, con chaqueta. Vino Apolinar con la pluma de gallina, como de costumbre.

—¡Felices cumpleaños, tío Juan!

—Gracias, Apolinar.

Fuése[12] el mozo al establo y volvió con unas pajas en la mano. Las arrojó al suelo, diciendo:

—Tío Juan, fíjese Vd. bien.

Y sin hacer grandes esfuerzos, dobló el cuerpo y recogió las pajas con los dientes.

—Si Vd. quiere, me las como.

—No tienes que comerlas.

—Lucía—dijo Apolinar—trae ahora un carbón encendido de la cocina . . . Ya está.[13] Tío Juan, encienda su cigarro aquí, y dos si quiere, que no hay prisa. ¡Como que[14] tengo un callo en la palma de la mano más grande que una onza de oro!

—Justo . . . las tres cosas—dijo al fin el tío Juan. —Lucía, abraza a este bruto.

—Tío Juan, ¿de veras que es para mí?—preguntó el mozo.

—Sí, animal, para ti. Y da las gracias a las gallinas que te curaron la pereza, porque nunca he tenido dolor de cintura.

—¿Cómo?

—No seas borrico—dijo Lucía—mi padre lo hizo sólo para hacerte madrugar, y para enseñarte a trabajar como hombre.

El sol caía en una lluvia de oro. A lo lejos las alegres campanas parecían anunciar la nueva raza fuerte que abre y cultiva la fecunda tierra.

Adapted from José Nogales: *Las tres cosas del tío Juan*

NOTES

[1] **anda** go ahead
[2] **eso será** so shall it be
[3] **tragando saliva** swallowing hard
[4] See vocabulary
[5] **tomar** to get
[6] **van por buen camino** are getting along nicely
[7] **haber de** to be to, must
[8] **de** for
[9] **hay que** it is necessary, one must
[10] **al ponerse el sol** at sunset
[11] **se le endurecían** became hard
[12] **fuése** = se fué
[13] **ya está** here it is
[14] **como que** since

ACTIVE VOCABULARY

abrazar to embrace
arrojar to throw
beber to drink
casarse con to marry
el **cuerpo** body
la **cuestión** question, problem
cumplir to fulfill
el **fuego** fire
el **mozo** youth
la **pluma** feather
el **principio** beginning
recoger to pick up
el **remedio** remedy
sobre todo especially
el **suelo** ground
sentir to feel
traer to bring

CUESTIONARIO

I

1. ¿Qué sabía todo el mundo?
2. ¿Qué faltaba para el matrimonio?
3. ¿Quién era el tío Juan?
4. ¿Cómo se sentía Apolinar ante él?
5. ¿Qué le había dicho su Lucía?
6. ¿A dónde se dirigió Apolinar?
7. ¿Qué gritó Apolinar?
8. ¿Cómo estaba trabajando el tío Juan?
9. ¿Qué parecía él?
10. ¿A qué venía Apolinar?
11. ¿Qué se dió el tío Juan en la frente?
12. ¿Qué van a tomar?
13. ¿Cuántas cosas debe hacer Apolinar?
14. ¿Qué cosa debe traer Apolinar todos los días?
15. ¿Qué clase de dolor tiene el tío Juan?
16. ¿Qué debe hacer Apolinar estando de pie?
17. ¿Qué debe traer en la mano?
18. ¿Cuándo debe traer el fuego?
19. ¿Cómo ha de traer el fuego?

II

1. ¿A quiénes habló Apolinar una mañana?
2. ¿Qué cantidad de vino ofreció?
3. ¿Quiénes salieron del grupo?
4. ¿Qué hizo cada uno de ellos?
5. ¿Dónde se dió un golpe Apolinar?
6. ¿Qué debía cavar Apolinar?
7. ¿Trabajaba mucho Apolinar?
8. ¿Cuándo volvía a su casa?
9. ¿Cómo volvía?
10. ¿Cuándo habían de llegar los resultados?
11. ¿Qué adquiría el cuerpo?
12. ¿Dónde perdía Apolinar el tiempo antes?
13. ¿Qué día llegó?
14. ¿Con qué debía presentarse el tío Juan?
15. ¿Qué dijo Apolinar al tío Juan ese día?
16. ¿Qué le contestó el tío Juan?
17. ¿A dónde se fué el mozo?
18. ¿Con qué volvió?
19. ¿Con qué recogió las pajas?
20. ¿Qué trae Lucía de la cocina?
21. ¿Qué va a encender el tío Juan?
22. ¿Qué dijo al fin el tío Juan?
23. ¿Preguntó algo el mozo?
24. ¿Cómo debía trabajar Apolinar?

SEDANO

HACÍA dos años que[1] trabajábamos en la misma oficina, y aun no podía averiguar gran cosa de Sedano. Era un viejecillo débil, flaco, de ojos melancólicos, pero tan exacto, tan amable con todo el mundo. Parecía uno de esos *vencidos* que se consideran inferiores y que están siempre pidiendo excusas por su incapacidad.

Casi por caridad le tomé cierto afecto.[2] En más de una ocasión le regalé cigarros, le di consejos y hasta le invité a una copita de kümmel. Su gratitud fué desproporcionada al valor de mis atenciones; me confundía, diré, más bien,[3] casi me molestaba.

—Sedano—le dije un día—cuénteme algo de su vida. ¿Es Vd. soltero, casado, viudo? Me han dicho que tiene una hija. ¡Vamos! ¡Confiese Vd.!

—¡Bah!—respondió él con cierta ironía. —No creo que haya nada extraordinario que contar. Soy de Zamora, y me crié en casa de una tía, quien me dejó algún dinero al morir. Vine a Madrid y aquí obtuve una colocación.

—Y ese dinero que trajo de Zamora ¿lo gastó o lo invirtió?—me atreví a preguntar, suponiendo que por este lado[4] podía averiguar más.

Bajó la cabeza como si meditase.

—Ese dinero estaba invertido en bonos. Como temía que hubiese una baja los vendí a tiempo y me vi dueño de cuarenta mil duros—dijo con una sonrisa infantil.

Al oír «cuarenta mil duros» creí que me engañaba. Me

fijé en[5] sus gastadas ropas, especialmente en su descolorido gabán, que era clásico en nuestra oficina como objeto de burlas.

—¿Y qué hizo con ese dinero?—insistí.

—El dinero es una cosa que se pierde tan fácilmente—añadió con tristeza, como si recordase algo desagradable.

—Vamos, que[6] lo gastó en diversiones. ¿No es así? Porque entonces Vd. era joven todavía . . .

—¿Diversiones? Nada de eso. Yo he sido siempre, cómo diré[7] . . . un poco raro. No he sabido divertirme. A veces mis amigos me obligaban a salir . . . pero nunca me salí de la regularidad de mis costumbres. Mi única amiga fué una viuda, señora muy amable conmigo. Me acostumbré a su trato y fuimos muy buenos amigos. Pasó algún tiempo hasta que un día desapareció de Madrid. Quedé solo, muy triste, sin amigos, se puede decir. Figúrese Vd. mi asombro cuando una noche, pasados algunos años, se presentó en mi casa una mujer vestida de negro, con una niña recién nacida: —Protéjala, Sedano—me dijo—, que sólo Vd. tiene corazón para hacerlo.

—¿Y era la viuda?

—La misma.

La expresión melancólica de Sedano cambió. La luz de la bondad iluminó su cara.

—La niña vivió conmigo veintiún años. Cuidé de ella como si fuera su padre. ¡Cuántas preocupaciones! Estuvo enferma varias veces y hubo muchos gastos. Yo quería que no le faltase nada[8] . . .

—¿Y dónde está la niña ahora?

—En las Filipinas, con su esposo.

Al decir esto, la voz de Sedano casi se extinguió.

—Se casó con un militar. Le diré a Vd. toda la verdad. La chica se enamoró de un muchacho muy simpático, pero un poco informal. Como la vi tan enamorada, di el permiso para el matrimonio. Me quedé desconsolado. Pasaba la mayor parte del tiempo en su casa. No podía acostumbrarme a la soledad. Un día la hallé llorando amargamente. —Chiquilla, ¿qué tienes?—le pregunté.

—¡Ay, padrino! (así me llamaba). Pepe ha jugado[9] cierto dinero que no le pertenecía . . . lo perdió todo. Ha comprado un revólver . . . Si él se mata . . . yo también.

—Ahora comprendo qué hizo Vd. con el dinero—interrumpí.

—Así fué. El muchacho cambió de conducta y fué otra persona.

—Y es por esto que Vd. se vió obligado a pedir una colocación en nuestra oficina. Ahora lo veo claro.

—Y en verdad la necesito—concluyó, mirándome con gratitud.

Desde entonces, cuando veo el descolorido gabán de Sedano, pienso en el noble corazón del viejo que lo dió todo por la felicidad de otros.

Adapted from Doña Emilia Pardo Bazán: *Sedano*

NOTES

[1] See Parrón, note 1
[2] **afecto** liking
[3] **más bien** rather
[4] **por este lado** on this score
[5] **fijarse en** to notice
[6] Do not translate
[7] **cómo diré** how shall I say it?
[8] **no . . . nada** she should lack nothing
[9] **jugado** gambled with

ACTIVE VOCABULARY

atreverse a to dare
la **bondad** kindness
confesar to confess, admit
confundir to embarrass
el **consejo** advice
enamorarse de to fall in love with
especialmente especially
exacto, -a exact
la **expresión** expression
interrumpir to interrupt
nunca never
obligar to oblige
obtener to obtain
pensar en to think of
pertenecer to belong
raro, -a strange
suponer to suppose

CUESTIONARIO

1. ¿Dónde trabajaban los dos hombres?
2. ¿Cómo eran los ojos de Sedano?
3. ¿Con quién era amable Sedano?
4. ¿Qué le regaló el autor a Sedano?
5. ¿A qué invitó el autor a Sedano?
6. ¿Qué preguntó el autor a Sedano?
7. ¿Qué respondió él?
8. ¿Había algo que contar?
9. ¿De dónde era Sedano?
10. ¿Dónde se crió?
11. ¿Qué le dejó la tía al morir?
12. ¿Qué obtuvo en Madrid?
13. ¿En qué estaba invertido el dinero?
14. ¿Cuánto tuvo entonces?
15. ¿Qué era clásico en la oficina?
16. ¿Qué se pierde muy fácilmente?
17. ¿Qué recordaba Sedano?
18. ¿Quién fué la única amiga de Sedano?
19. ¿A qué se acostumbró Sedano?
20. ¿Qué ocurrió después de algún tiempo?
21. ¿Cómo quedó Sedano?
22. ¿Quién se presentó ante Sedano una noche?
23. ¿Qué traía la mujer?
24. ¿Quién era la mujer?
25. ¿Cuántos años vivió la niña con él?
26. ¿Dónde está la niña ahora?
27. ¿Con quién se casó la niña?
28. ¿Cómo era el muchacho?
29. ¿Dónde pasaba Sedano su tiempo?
30. ¿Qué había jugado Pepe?
31. ¿Qué ha comprado Pepe?
32. ¿Qué necesita Sedano ahora?

LA MOMIA

NADIE supo exactamente por qué razones abandonó don Santiago Rosales la ciudad de Lima. Vino a vivir definitivamente en la hacienda *Tambo Chico* en compañía de su extraña hija Luz, cuya hermosa cabellera rubia asombraba a los jóvenes de la sierra. Para las razas morenas el rubio[1] ha sido siempre un atributo[2] misterioso. Al verla llegar, los habitantes del valle miraron a Luz Rosales con temor.

Tambo Chico es la más grande de las haciendas de esa región; incluye un río, dos montañas y una antigua fortaleza y cementerio de indios. Según la tradición, a la caída de los Incas quedaron en los corredores subterráneos de la fortaleza las inmensas riquezas del imperio.

Desde esa época nadie se ha atrevido a acercarse al cementerio indio. Las momias de los generales indios allí enterrados se despiertan si alguien quiere penetrar en las tumbas, y las lechuzas evitan el robo con sus misteriosos silbidos. Por eso, cuando don Santiago Rosales, ambicioso coleccionista, quiso completar su serie, ningún indio le obedeció. Sólo empleando gente venida[3] de la costa pudo traer, a lomo de mula, los objetos con que los indios enterraban a sus muertos: jarrones pintados, dioses sonrientes de grandes orejas y, por fin, momias en actitud dolorosa, admirablemente conservadas.

Aquello era un imperdonable robo. Durante cuatro siglos nadie había buscado momias en la arruinada fortaleza. Todos los objetos eran de los muertos para que al despertar en la otra vida pudieran servirse de ellos. Pero las momias . . . las momias eran sagradas.

Una noche se reunieron[4] los indios y celebraron extrañas ceremonias, pidiendo a los dioses castigo para el malvado. Pero al día siguiente estaban otra vez don Santiago y su hija a caballo, dirigiendo los trabajos de excavación. De lejos[5] la cabellera rubia de la niña Luz relucía con esplendor. Los indios apartaron de ella la vista con visible inquietud.

Don Santiago no estaba satisfecho. Era una momia de mujer lo que buscaba. ¡Oh! ¡Había que[6] excavar más lejos en otro de los subterráneos! Entonces dos indios muy viejos le pidieron con lágrimas en los ojos que dejara en paz a los muertos. Pero don Santiago no cedía.

Al día siguiente, en el salón de la hacienda, dos delegados indios que habían seguido al amo, vieron las momias sobre una mesa y no quisieron mirarlas de frente. Lo prometieron todo; prometieron sus cosechas y animales si el amo ordenaba que se llevasen al sepulcro las momias de los protectores del valle. Su única respuesta fué echarlos de su casa a golpes.[7]

II

Dos días después volvieron los mismos indios diciendo que prometían indicar el lugar en donde estaban las famosas barras de oro. La cita fué para el día siguiente, un domingo.

El domingo, muy temprano, salió don Santiago de su casa sin despertar a nadie. Bajaron los indios con el amo por uno de los corredores de la fortaleza, y trabajaron en su extremo durante dos horas, hasta que levantaron una enorme piedra. Allí comenzaba un largo corredor. En las piedras salientes de las paredes había una magnífica colección de vasos antiguos; era aquello un verdadero museo. ¡Ni[8] en Berlín había cosa igual! Al llegar a una vuelta del corredor, una luz verde iluminó la gruta. ¡Allí debían hallar el tesoro! Don Santiago corrió hacia la escasa luz y se detuvo asombrado. ¡Una momia, una momia de mujer estaba allí vigilando el tesoro!

De repente un grito terrible se oyó en la gruta. Los indios se miraban silenciosos. Don Santiago arrancó la linterna de las manos de un indio. La cara de la momia era el retrato irónico de su hija. Con las manos en cruz y la rubia cabellera sobre el pecho estaba allí su hija Luz, o por lo menos su imagen exacta. Como un loco, corrió el amo por una abertura que daba al río y corrió, corrió por la orilla, golpeándose contra las piedras, llamando a gritos a su hija Luz. Pero Luz Rosales había desaparecido de *Tambo Chico*. Don Santiago se volvió loco.

Todos los habitantes del valle saben muy bien que ésta fué la venganza de los muertos. Las momias volvieron a su primitivo lugar, y todavía en las noches de luna se oyen ruidos extraños entre las ruinas de la fortaleza india.

Adapted from Ventura García Calderón: *La momia*

NOTES

[1] **el rubio** blondeness
[2] **atributo** quality
[3] **venida** who had come
[4] **reunirse** to gather together
[5] **de lejos** from afar
[6] **haber que** to be necessary
[7] **a golpes** with blows
[8] **ni** not even

ACTIVE VOCABULARY

celebrar to celebrate
la costa coast
evitar to avoid
el extremo end
famoso, -a famous
la hacienda estate
hasta que until
la imagen image
levantar to raise
la montaña mountain
el pecho chest, breast
la piedra stone
por eso for that reason
prometer to promise
el temor fear
verdadero, -a true, real
la vista sight

CUESTIONARIO

I

1. ¿Qué ciudad abandonó don Santiago Rosales?
2. ¿Dónde vino a vivir?
3. ¿Con quién vino don Santiago?

4. ¿Qué asombraba a los jóvenes de la sierra?
5. ¿Cómo miraron a Luz los habitantes del valle?
6. ¿Qué es *Tambo Chico*?
7. ¿Cuántas montañas incluye la hacienda?
8. ¿Qué cementerio hay en *Tambo Chico*?
9. ¿Dónde estaban las riquezas del imperio?
10. ¿Quiénes se despiertan en la fortaleza?
11. ¿Quién era don Santiago Rosales?
12. ¿Qué deseaba él completar?
13. ¿A qué clase de gente empleó?
14. ¿Cómo estaban las momias?
15. ¿Qué no había buscado nadie en la fortaleza?
16. ¿De quiénes eran los objetos?
17. ¿Qué hicieron los indios una noche?
18. ¿Qué dirigían don Santiago y su hija?
19. ¿Buscaba algo don Santiago?
20. ¿Dónde había que excavar?
21. ¿Dónde vieron a las momias los indios?
22. ¿Qué prometieron entonces?

II

1. ¿Cuándo regresaron los mismos indios?
2. ¿Qué prometían indicar?
3. ¿Para cuándo fué la cita?
4. ¿Cómo salió don Santiago de su casa?
5. ¿Quiénes bajaron por uno de los corredores?
6. ¿En dónde trabajaron?
7. ¿Cuánto tiempo trabajaron allí?
8. ¿Qué levantaron?
9. ¿Había algo en las piedras de las paredes?
10. ¿Qué iluminó la gruta?
11. ¿Qué hizo entonces don Santiago?
12. ¿Cómo se detuvo?
13. ¿Qué estaba haciendo la momia?
14. ¿Se oyó algo en la gruta?
15. ¿Qué arrancó don Santiago de las manos de un indio?
16. ¿Qué era el retrato irónico de su hija?

17. ¿Cómo tenía la momia las manos?
18. ¿Cómo corrió don Santiago?
19. ¿A quién llamaba don Santiago?
20. ¿Estaba Luz Rosales en *Tambo Chico*?
21. ¿Qué le ocurrió a don Santiago?
22. ¿A dónde volvieron las momias?

GRAMMATICAL SUMMARY

1. **Definite Article: el, la, los, las.**
2. **Indefinite Article: un, una, unos, unas.**
3. **Contractions: a + el = al; de + el = del.**
4. **Uses of the Definite Article.** The definite article is used:
   a. With titles, in indirect address: **Veo al doctor Belmar.**
   b. With parts of the body and articles of clothing: **Se lava las manos** — *He washes his hands.* **Toma el sombrero** — *He takes his hat.*
   c. With names of meals: **Toma el desayuno.**
   d. The definite article is omitted with nouns in apposition: **Valparaíso, puerto principal de Chile.**
   e. Feminine singular nouns beginning with stressed **a** or **ha** take the masculine form of the definite article: **el agua.**
5. **Omission of the Indefinite Article.** The indefinite article is omitted:
   a. With unmodified predicate nouns of profession or nationality: **Es profesor.** But: **Es un buen profesor.**
   b. With nouns in apposition: **El doctor Belmar, viejo amigo de mi familia.**
6. **Negative.** The negative **no** precedes the verb: **No tengo el libro.** If there is a reflexive or object pronoun before the verb the negative is placed before the pronoun: **No le hablo. No se lavan.**
7. **Interrogations.** In interrogative sentences the subject follows the verb: **¿Tiene Vd. un libro?**
8. **Plural of Nouns.** Nouns ending in a vowel add **–s** to form the plural; those ending in a consonant add **–es: casa — casas; profesor — profesores.**
9. **Plural of Adjectives.** Adjectives form their plural in the same manner as nouns: **blanco — blancos; fácil — fáciles.**
10. **Gender of Adjectives.** Adjectives ending in **–o** change **o** to **a** to form the feminine: **alto — alta.** Adjectives ending in a vowel other than **o** and most of those ending in a consonant remain unchanged in the feminine.
11. **Irregular Comparison: bueno — mejor — el mejor; malo — peor — el peor; grande — mayor — el mayor; pequeño — menor — el menor.**
12. **Absolute Superlative.** The absolute superlative is formed by adding the endings **–ísimo, –ísima, –ísimos, –ísimas** to the stem of the adjective: **grande — grandísimo; hermosas — hermosísimas.**

13. **Cardinal Numerals.**

1 un(o), una	20 veinte
2 dos	21 veinte y uno
3 tres	30 treinta
4 cuatro	40 cuarenta
5 cinco	50 cincuenta
6 seis	60 sesenta
7 siete	70 setenta
8 ocho	80 ochenta
9 nueve	90 noventa
10 diez	100 ciento
11 once	200 doscientos
12 doce	300 trescientos
13 trece	400 cuatrocientos
14 catorce	500 quinientos
15 quince	600 seiscientos
16 diez y seis	700 setecientos
17 diez y siete	800 ochocientos
18 diez y ocho	900 novecientos
19 diez y nueve	1000 mil

14. **Ordinal Numerals.**

primero	*first*	sexto	*sixth*
segundo	*second*	séptimo	*seventh*
tercero	*third*	octavo	*eighth*
cuarto	*fourth*	noveno	*ninth*
quinto	*fifth*	décimo	*tenth*

Ordinal numerals above the tenth are replaced by the cardinals.

15. **Dates.**
    a. An ordinal numeral is used only with the first day of the month. With the other days cardinals are used: **el primero de febrero; el dos de marzo.**
    b. Counting by hundreds is not carried above nine hundred in Spanish: 1789 **(mil setecientos ochenta y nueve)**
    c. December 10, 1905 should be read: **(El) diez de diciembre de mil novecientos cinco.**

16. **Hours.**
A las tres y cuarto *At 3.15 o'clock*
A las ocho y media *At 8.30 o'clock*
Son las diez menos cuarto *It is 9.45*
Es la una de la mañana *It is 1 A. M.*
Son las once de la noche *It is 11 P. M.*
A las cuatro de la tarde *At 4 P. M.*

17. **Possessive Adjectives.**

a. *Weak Forms*	b. *Strong Forms*
mi–s *my*	mío–a–os–as *of mine*
tu–s *your*	tuyo–a–os–as *of yours*

su–s *his, her, your, its*	suyo–a–os–as *of his, of hers, of yours*
nuestro–a–os–as *our*	nuestro–a–os–as *of ours*
vuestro–a–os–as *your*	vuestro–a–os–as *of yours*
su–s *their, your*	suyo–a–os–as *of theirs, of yours*

Strong forms are used only: (a) in the combinations *of mine, of yours, of his,* etc.: **Un amigo mío**—*a friend of mine;* (b) in direct address: **¡Querido amigo mío!**—*my dear friend!* Weak forms are used in all other cases of possessive adjectives: **Mi libro**—*my book.* **Sus lecciones**—*her lessons.*

18. **Demonstrative Adjectives.**
this: este, esta; *these:* estos, estas
that: ese, esa (aquel, aquella); *those:* esos, esas (aquellos, aquellas)
The demonstrative adjectives agree in gender and number with the noun they modify.

19. **Personal Pronoun Subjects.**
yo (*I*), tú (*you, thou*), él (*he*), ella (*she*), usted (*you, form.*), nosotros –as (*we*), vosotros –as (*you, ye*), ellos (*they, masc.*), ellas (*they, fem.*), ustedes (*you, form. pl.*)

20. **Indirect and Direct Object Pronouns.**

Indirect	Direct
me *to me*	me *me*
te *to you*	te *you*
le *to him, to her, to you, to it*	le *him*; la *her, it*; lo *it*
nos *to us*	nos *us*
os *to you*	os *you*
les *to them, to you (pl.)*	los, las *them, you (pl.)*

21. **Position of Object Pronouns.** Object Pronouns usually precede the verb. They follow the verb and are attached to it in three cases: (1) with infinitive: **hablarle**; (2) with affirmative commands: **¡Háblele Vd.!**; (3) with present participles: **escribiéndolo.**

22. **Combinations of Object Pronouns.** (a) When there are two object pronouns, the indirect precedes the direct: **Me lo da**—*he gives it to me.* (b) If both object pronouns are in the third person—either singular or plural—the indirect becomes **se**: **Yo se lo doy**—*I give it to him.*

23. **Reflexive Pronouns.**
me *myself*
te *yourself (fam. s.)*
se *himself, herself, itself, yourself (form. s.)*
nos *ourselves*
os *yourselves (fam. pl.)*
se *themselves, yourselves (form. pl.)*

24. **Objects of a Preposition.** Pronoun objects of a preposition are

like the personal pronoun subjects, with the exception of the first and second persons singular:

(para) mí	(para) nosotros -as
(para) ti	(para) vosotros -as
(para) él, ella, Vd., ello	(para) ellos, ellas, Vds.

Conmigo (*with me*), **contigo** (*with you*) are special pronoun forms combined with **con.**

A special reflexive form is **consigo** (with himself, herself, yourself, themselves, yourselves).

25. **Possessive Pronouns.**

1. el mío, la mía los míos, las mías	*mine*
2. el tuyo, las tuyas los tuyos, las tuyas	*yours*
3. el suyo, etc.	*his, hers, yours*
1. el nuestro, etc.	*ours*
2. el vuestro, etc.	*yours*
3. el suyo, etc.	*theirs, yours*

Pronoun possessives agree with the noun they stand for: **Tengo los míos**—*I have mine* (*masc. pl. noun understood*).

The ambiguity of the possessive pronouns of the third persons, singular and plural, may be avoided by specifying the possessor: *I have his*—**Tengo el suyo;** *better:* **Tengo el de él.** *They have yours*—**Tienen el suyo;** *better:* **Tienen el de Vd.** *You have hers*—**Vd. tiene el suyo;** *better:* **Vd. tiene el de ella.**

After the verb ser the definite article of the possessive pronouns may be omitted: **Éstos son míos.**

26. **Demonstrative Pronouns.** In form the demonstrative pronouns are like the demonstrative adjectives, except that they are accented (*See: Section 18*). They agree in gender and number with the noun understood.

The neuter forms of the demonstrative pronouns are: **esto, eso, aquello.** They are not accented.

27. **Interrogatives.** The most common interrogatives are:

¿cómo? *how?*	¿de dónde? *where from?*
¿cuál (-es)? *which?*	¿para qué? *what for? why?*
¿cuándo? *when?*	¿por qué? *why?*
¿cuánto (-a)? *how much?*	¿qué? *what?*
¿cuántos (-as)? *how many?*	¿quién (-es)? *who?*
¿dónde? *where?*	¿a quién (-es)? *whom?*
¿a dónde? *where to?*	¿de quién (-es)? *whose?*

28. **Relative Pronouns.**

1. **Que** *that, which, who, whom.* (a) **Que** is used to refer to persons and things when there is no ambiguity as to antecedents: **El hombre que llegó es mi padre.** (b) It is also

used with prepositions to refer to things only: **Éstas son las casas de que yo hablaba.**

2. **Quien (–es)** *who, whom.* (a) **Quien (–es)** is used with prepositions to refer to persons: **Ése es el hombre con quien yo hablaba.** (b) Introduces parenthetical clauses (between commas) to refer to persons: **Juan, quien estaba conmigo, no contestó.**
3. **El cual, la cual, los cuales, las cuales** *that, which, who, whom.* These relatives introduce parenthetical clauses (between commas) to refer to things: **Aquéllas son las casas de mi padre, las cuales podría Vd. comprar.**
4. **Lo cual** *which* (*neuter*). **Lo cual** is used when the antecedent is a neuter idea: **Trabaja mucho, lo cual nos agrada.**
5. **El que, la que, los que, las que** *the one who* (*he who, she who*), *the ones who* (*they who*): **El que estudia, aprende.**
6. **Lo que** refers to a neuter idea and translates *what, that which*: **Me contó lo que había oído.**

29. **Indefinites.**

alguien *somebody, anybody*
alguno, –a, –os, –as *someone, some, any, a few*
algún (*before masculine singular noun*)
algo *something, anything.*

Alguien is answered negatively by **nadie; algo** by **nada** and **alguno** by **ninguno.**

30. **Double Negatives.**

nadie *nobody*
ninguno (ningún) *as adjective: no, not any; as pronoun: none, no one.*
nada *nothing*
nunca, jamás *never*
tampoco *neither, not either*

When these negative words are placed after the verb, **no** or some other negative must be placed before the verb. If they are placed before the verb, **no** is not needed: **No tengo nada** *or* **Nada tengo.**

31. **Endings of the Present Indicative.**

I habl–o, habl–as, habl–a, habl–amos, habl–áis, habl–an.
II aprend–o, aprend–es, aprend–e, aprend–emos, aprend–éis, aprend–en.
III viv–o, viv–es, viv–e, viv–imos, viv–ís, viv–en.

32. **Present Perfect.** The present perfect is formed by the auxiliary **haber** in the present indicative and a past participle.

he aprendido	hemos aprendido
has aprendido	habéis aprendido
ha aprendido	han aprendido

33. **Present Indicative of *Ser* and *Estar*.**
soy, eres, es, somos, sois, son.
estoy, estás, está, estamos, estáis, están.

34. **Uses of *Ser* and *Estar*.**
1. **Ser** is used: (a) With predicate nouns: **Soy alumno;** (b) With predicate adjectives denoting permanent or inherent characteristic: **La lección es fácil;** (c) With impersonal expressions: **Es verdad.**
2. **Estar** is used: (a) To denote place: **Estoy en la escuela;** (b) With predicate adjectives denoting temporary or accidental characteristic: **Juan está enfermo;** (c) To form the progressive tenses (*Section 46*): **Estoy hablando.**

35. **Present Indicative of *Haber* and *Tener*.**
he, has, ha, hemos, habéis, han.
tengo, tienes, tiene, tenemos, tenéis, tienen.

36. **Uses of *Haber* and *Tener*.** (a) The verb **haber** is used as an auxiliary to form the perfect tenses (*Section 45*): **Yo he hablado;** (b) The verb **tener** is used as a main verb to denote possession: **Tengo un libro.**

37. **Radical Changing Verbs.** Radical changing verbs of the I and II classes change the stem **e** to **ie, o** to **ue** in the 1st., 2nd., 3rd. persons singular and 3rd. person plural of the present indicative. Radical changing verbs of the III class change **e** to **i** in the same persons.

38. **Endings of the Imperfect.**
I habl–aba, habl–abas, habl–aba, habl–ábamos, habl–abais, habl–aban.
II aprend–ía, aprend–ías, aprend–ía, aprend–íamos, aprend–íais, aprend–ían.
III viv–ía, viv–ías, viv–ía, viv–íamos, viv–íais, viv–ían.

There are three irregular imperfects: **era** (ser), **iba** (ir), **veía** (ver).

39. **Endings of the Preterite.**
I habl–é, habl–aste, habl–ó, habl–amos, habl–asteis, habl–aron.
II aprend–í, aprend–iste, aprend–ió, aprend–imos, aprend–isteis, aprend–ieron.
III viv–í, viv–iste, viv–ió, viv–imos, viv–isteis, viv–ieron.

40. **Uses of the Imperfect and Preterite.**
1. The imperfect is used: (a) With continued actions or states: **Escribíamos**—*we were writing.* **Estábamos cansados**—*we were tired*; (b) With habitual actions: **Me hablaban**—*they used to speak to me.* **Me visitaba todos los días**—*he visited me every day*; (c) In descriptions: **Era un día frío**—*it was a cold day*; (d) Usually, with verbs denoting mental or emotional action or states: **Deseaban ir**—*they wished to go.* **Esperaban recibir dinero**—*They expected to receive money.*
2. The preterite is used: (a) With definitely past actions: **Llegó**

temprano, y se fué en seguida—*he arrived early and left immediately*; (b) Usually, when there is a time element in the sentence: *yesterday, last year, then,* etc. Examples: **Entonces me habló. El año pasado me escribió**; (c) When an action is thought of as a whole in spite of its duration or of its being habitual: **Vino a hablarme todos los domingos** —*he came to speak to me every Sunday*; (d) In narrations: **Vino a casa, tomó los libros y se fué inmediatamente**—*he came to the house, took the books, and left at once.*

41. Preterite of Ser, Estar, Haber, Tener.
fuí, fuiste, fué, fuimos, fuisteis, fueron.
estuve, estuviste, estuvo, estuvimos, estuvisteis, estuvieron.
hube, hubiste, hubo, hubimos, hubisteis, hubieron.
tuve, tuviste, tuvo, tuvimos, tuvisteis, tuvieron.

42. Preterite of Radical Changing Verbs. Radical changing verbs of the II and III classes change **e** to **i** or **o** to **u** in the third persons, singular and plural, of the preterite: **sintió, sintieron, durmió, durmieron, pidió, pidieron.**

43. Endings of the Future and Conditional.
hablar–é, hablar–ás, hablar–á, hablar–emos, hablar–éis, hablar–án.
hablar–ía, hablar–ías, hablar–ía, hablar–íamos, hablar–íais, hablar–ían.

44. Irregular Verbs.

1. **Decir.** *Pres.:* digo, dices, dice, dicen; *Pret.:* dije, dijiste, dijo, dijimos, dijisteis, dijeron; *Fut.:* diré, dirás, dirá, etc.; *Cond.:* diría, dirías, diría, etc.
2. **Haber.** *Pres.:* he, has, ha, hemos, habéis, han; *Pret.:* hube, hubiste, hubo, hubimos, hubisteis, hubieron; *Fut.:* habré, habrás, habrá, etc.; *Cond.:* habría, habrías, habría, etc.
3. **Hacer.** *Pres.:* hago; *Pret.:* hice, hiciste, hizo, hicimos, hicisteis, hicieron; *Fut.:* haré, harás, hará, etc.; *Cond.:* haría, harías, haría, etc.
4. **Ir.** *Pres.:* voy, vas, va, vamos, vais, van; *Impfct.:* iba, ibas, iba, etc.; *Pret.:* fuí, fuiste, fué, fuimos, fuisteis, fueron.
5. **Poder.** *Pres.:* puedo, puedes, puede, pueden; *Pret.:* pude, pudiste, pudo, pudimos, pudisteis, pudieron; *Fut.:* podré, podrás, podrá, etc.; *Cond.:* podría, podrías, podría, etc.
6. **Poner.** *Pres.:* pongo; *Pret.:* puse, pusiste, puso, pusimos, pusisteis, pusieron; *Fut.:* pondré, pondrás, pondrá, etc.; *Cond.:* pondría, pondrías, pondría, etc.
7. **Querer.** *Pres.:* quiero, quieres, quiere, quieren; *Pret.:* quise, quisiste, quiso, quisimos, quisisteis, quisieron; *Fut.:* querré, querrás, querrá, etc.; *Cond.:* querría, querrías, querría, etc.
8. **Saber.** *Pres.:* sé; *Pret.:* supe, supiste, supo, supimos, supisteis, supieron; *Fut.:* sabré, sabrás, sabrá, etc.; *Cond.:* sabría, sabrías, sabría, etc.

9. **Salir.** *Pres.:* salgo; *Fut.:* saldré, saldrás, saldrá, etc.; *Cond.:* saldría, saldrías, saldría, etc.
10. **Tener.** *Pres.:* tengo, tienes, tiene, tienen; *Pret.:* tuve, tuviste, tuvo, tuvimos, tuvisteis, tuvieron; *Fut.:* tendré, tendrás, tendrá, etc.; *Cond.:* tendría, tendrías, tendría, etc.
11. **Traer.** *Pres.:* traigo; *Pret.:* traje, trajiste, trajo, trajimos, trajisteis, trajeron.
12. **Venir.** *Pres.:* vengo, vienes, viene, vienen; *Pret.:* vine, viniste, vino, vinimos, vinisteis, vinieron; *Fut.:* vendré, vendrás, vendrá, etc.; *Cond.:* vendría, vendrías, vendría, etc.
13. **Ver.** *Pres.:* veo; *Impfct.:* veía, veías, veía, etc.

45. **Perfect Tenses.** The perfect tenses are formed with the auxiliary **haber** and a past participle.

Pres. Pfct.	yo he hablado	I have spoken
Plupfct.	yo había hablado	I had spoken
Pret. Pfct.	yo hube hablado	I had spoken
Fut. Pfct.	yo habré hablado	I shall have spoken
Cond. Pfct.	yo habría hablado	I should have spoken

46. **Progressive Tenses.** The progressive tenses are formed with the auxiliary **estar** and a present participle.

Pres. Progr.	yo estoy hablando	I am speaking
Impfct. Progr.	yo estaba hablando	I was speaking
Pret. Progr.	yo estuve hablando	I was speaking
Fut. Progr.	yo estaré hablando	I shall be speaking
Cond. Progr.	yo estaría hablando	I should be speaking

47. **Impersonal Use of Haber.**

Pres.	hay	there is, there are
Impfct.	había	there was, there were
Pret.	hubo	there was, there were
Fut.	habrá	there will be
Cond.	habría	there would be

Haber used impersonally can only be used in the third person singular. Notice the special form for the present.

48. **The Verb Gustar.** Before translating a sentence with the verb *to like* this verb should be changed into *to be pleasing to*: *I like the book = the book is pleasing to me* = **el libro me gusta.** Better: **me gusta el libro.** It is preferable to put the verb **gustar** at the beginning of the sentence: *He liked the house*—**le gustaba la casa.**

49. **Endings of the Present Subjunctive.**

I habl–e, habl–es, habl–e, habl–emos, habl–éis, habl–en.

II aprend–a, aprend–as, aprend–a, aprend–amos, aprend–áis, aprend–an.

III viv–a, viv–as, viv–a, viv–amos, viv–áis, viv–an.

50. **Endings of the Imperfect Subjunctive.**

I habl–ase (–ara), habl–ases (–aras), habl–ase (–ara), habl–ásemos (–áramos), habl–aseis (–arais), habl–asen (–aran).

II aprend–iese (–iera), aprend–ieses (–ieras), aprend–iese (–iera), aprend–iésemos (–iéramos), aprend–ieseis (–ierais), aprend–iesen (–ieran).

III viv–iese (–iera), viv–ieses (–ieras), viv–iese (–iera), viv–iésemos (–iéramos), viv–ieseis (–ierais), viv–iesen (–ieran).

51. **Uses of the Subjunctive.**

1. The subjunctive is used in noun dependent clauses after verbs of wish, command, permission, request, feeling or emotion, and impersonal expressions: **Quiero que Vd. venga. Me pidieron que escribiese la carta. Siento que Vd. esté enfermo.**
2. The subjunctive is used in adjective dependent clauses when these refer to an indefinite or negative antecedent: **¿Tiene Vd. una novela que sea interesante? No conozco a nadie que pueda ayudarle.**
3. In adverb dependent clauses (a) the subjunctive is always used after the following conjunctions: **antes (de) que, con tal (de) que, sin que, a menos que;** (b) it is also used after **cuando, después (de) que, hasta que, aunque,** to express that an action is to take place at an indefinite future time: **Le hablé antes (de) que partiese. Esperaré hasta que Vd. vuelva.**
4. The imperfect subjunctive is used in if-clauses that imply doubt or impossibility of fulfilment: **Si viniese hoy, podríamos hablarle. Si no fuese yo tan pobre, viajaría por Europa.**

52. **Formal Commands.** The endings of formal commands are:

I habl–e Vd., habl–en Vds.

II aprend–a Vd., aprend–an Vds.

III viv–a Vd., viv–an Vds.

The formal commands are like the third persons, singular and plural, of the present subjunctive. Hence, if this tense is irregular, the formal commands are also irregular: vaya Vd., vayan Vds.; salga Vd., salgan Vds.; traiga Vd., traigan Vds.; venga Vd., vengan Vds.; diga Vd., digan Vds.

53. **Familiar Commands.** The endings of the affirmative familiar commands are:

I habl–a tú, habl–ad vosotros

II aprend–e tú, aprend–ed vosotros

III viv–e tú, viv–id vosotros

54. **Present Participle.** The endings of the present participle are:

I habl–ando *speaking*

II aprend–iendo *learning*
III viv–iendo *living*

55. **Past Participle.** The endings of the past participle are:

I habl–ado *spoken*
II aprend–ido *learned*
III viv–ido *lived*

56. **Changes of Spelling.** Some verbs have a change of spelling before certain vowels. The summary given below explains these changes:

	llegar pagar seguir	coger escoger dirigir	sacar
Before **e** or **i** spell:	**gu**	**g**	**qu**
Before **o** or **a** spell:	**g**	**j**	**c**

Examples: *Pres.:* cojo, coges, coge, etc.; sigo, sigues, sigue, etc.
Pret.: llegué, llegaste, llegó, etc.; busqué, buscaste, buscó, etc.

57. **Prepositions.** Verbs should be learned with their prepositions, if they take any.

1. **Desear** and **querer** do not take a preposition.
2. The following verbs are used with prepositions:

acabar de *to have just*
acercarse a *to approach*
echar a *to start to*
empezar a *to begin to*
ir a *to go to*
llegar a *to arrive at*
llevar a *to take to*
ponerse a *to begin to*
principiar a *to begin to*
tardar en *to be long in*
tratar de *to try to*
volver a *to return to, to (do) again*

3. After a preposition the infinitive is used: **Después de hablar.** Notice: **Al ver**—*on seeing;* **Al llegar**—*on arriving.*

58. **Personal accusative.** Direct objects denoting definite persons, intelligent animals, name of cities, or personified things are preceded by **a: Veo a mi padre. Veo al perro. Visito a Madrid.**

59. **Translations of than.**

1. When two unequal things are compared, *than* is translated by **que: Juan es más joven que yo.**
2. Before numerals *more than* and *less than* become **más de** and **menos de** respectively in affirmative sentences: **Tengo más de veinte pesetas.**

60. **Comparisons of Equality.**

as . . . as **tan . . . como**

as much . . . as tanto (–a) . . . como
as many . . . as tantos (–as) . . . como

61. **Por and Para.**
    1. **Para** is used to denote purpose or destination: **Lo vendí para obtener dinero. Salió para Cuba.**
    2. **Por** is used to express (movement) *through, in exchange for, because of.* It is also used to translate *per* or its equivalent and in a few idiomatic expressions like **por la mañana, por la noche. Salió por la puerta**—*he went out through the door.* **Le di una peseta por el libro**—*I gave him a peseta for the book.* **Recibe veinte pesetas por día**—*he receives twenty pesetas a (per) day.*

62. **Translations of But.**
    1. **But** is usually translated by **pero.**
    2. If the main clause is negative and **but** is not followed by a finite verb, it is translated by **sino: No tengo libros sino cuadernos. No quiere comprar sino vender.**

EXERCISES

Exercise I

EL CIEGO ASTUTO

A

Supply the indefinite articles for the following nouns: (2)*

... campesino
... guía
... racimo
... fruta
... piedra
... señor
... vez
... generosidad

B

Supply a noun in the blank spaces:

1. Septiembre, mes de las ...
2. Él pasa por los ... de Castilla.
3. Es un ... llamado Lazarillo.
4. Un ... llama al ciego.
5. Él decide comerse las ...
6. El ... habla al muchacho.
7. Es un muchacho de ocho ...
8. Él toma dos uvas cada ...

Exercise II

LOS PODERES DEL PAPÁ

A

Supply the proper form of the definite article for each of the following nouns: (*1*)*

... tren
... falta
... padres
... niño
... cabeza
... poderes
... años
... ventanillas

B

Fill the blanks with the proper form of the definite article: (*1*)

1. ¿Dónde está ... sombrero?
2. ... alegría de Alfonsín es muy grande.
3. ... papá dice:—No debes hacer eso.
4. ... hijo desea probar ... poderes misteriosos del papá.
5. Alfonsín saca ... cabeza por ... ventanilla.

* Figures in parentheses refer to the grammatical summary.

C

Use the prepositions a, de *and the definite article with the nouns given. Make the contractions* al, del *where needed.* (3)

Example: . . . . asiento
al asiento
del asiento

. . . tren
. . . hijo
. . . poderes
. . . falta
. . . sombreros
. . . niño
. . . cabeza
. . . año
. . . padre
. . . parte

Exercise III

UNA MUJER PRÁCTICA

A

Change the following sentences to plural: (8, 31)

Example: Un estudiante vuelve.
Unos estudiantes vuelven.

1. El padre contesta.
2. La madre decide.
3. Él sabe mucho.
4. Ella no comprende la explicación.
5. El estudiante pregunta al padre . . .

B

Translate the words in parentheses:

1. Él (knows) mucho.
2. ¿Cuántos huevos (are there)?
3. El joven (asks) a su padre . . .
4. (There is) una solución.
5. La madre (takes) un huevo.
6. Los padres (answer).
7. Ella (puts) un huevo en el plato.
8. Él (has) un problema.
9. Los huevos (are) tres.
10. El estudiante (returns) a su casa.

C

Supply the proper form of the verb in parentheses: (31)

Example: (to answer) Los padres . . .
Los padres contestan.

1. (to ask) La madre . . . al hijo . . .
2. (to have) El estudiante . . . un problema.
3. (to be) Las soluciones . . . fáciles.
4. (to take) Ellos . . . un huevo.
5. (to put) El joven . . . el huevo en el plato.

Exercise IV

UNA LECCIÓN DE CORTESÍA

A

Supply (a) the proper ending for the adjectives and (b) change everything to plural: (9)

mirada terribl . . .
ventana alt . . .
hombre satisfech . . .
tiempo agradabl . . .
hombre furios . . .
sopa frí . . .

B

Give the masculine singular, masculine plural, feminine singular and feminine plural of the following adjectives: (10)

tranquilo
inocente
irritado
asombrado
singular
terrible
alto
agradable
furioso
satisfecho

C

Use the adjectives in parentheses with the nouns given: (9, 10)

(terrible) miradas, hombre, cara, palabras, injusticia
(high, tall) ventana, criados, flores, patio
(pleasant) patio, hombres, tiempo, noches, sirviente
(much, many) tiempo, cuchillos, sopa, lecciones

Exercise V

UNA PINTURA DIFÍCIL

A

Supply the personal pronoun subject for each of the following verbs (19)

llamamos
pido
salen
queda
recibe
pensáis
mandas
respondemos

están pagas es explico

B

Change to interrogative sentences: (7)
1. Don Benito pregunta con ansiedad.
2. Vd. pide once mil pesetas.
3. Las otras están dentro del templo.
4. Él no puede pintar el cuadro.
5. Ésta es una obra difícil.

C

Fill the blanks with the appropriate nouns:
1. El pintor vuelve dos . . . más tarde.
2. Don Benito vive en la . . . de Úbeda.
3. ¿Cuánto pide Vd. por su . . . ?
4. ¿Cuánto vale el cuadro, según el . . . ?
5. Don Benito llama a su . . . a un famoso . . .
6. Pido once mil . . . , ni un . . . menos.
7. El pintor entrega la . . . y recibe el . . .
8. Una multitud de . . . salen por las . . .
9. Don Benito cuenta las . . . con gran . . .

EXERCISE VI

EL REY Y EL COCINERO

A

Continue throughout the six forms: (33)

yo soy sabio yo estoy triste

B

Change to the plural:
1. Es el rey.
2. Es el consejero.
3. Estoy triste.
4. La piedra es pequeña.
5. Está asombrado.
6. Soy el abad.
7. Estás con el rey.
8. Es el país.
9. Soy importante.
10. Estás muy alto.

C

Fill the blanks with a verb form of either ser *or* estar, *as required by the sentence:* (34)
1. Para tales preguntas yo . . . suficiente.

2. El rey cree que . . . el abad quien llega.
3. El abad . . . muy contento.
4. Éste . . . el monasterio más importante.
5. ¿Quiénes . . . los consejeros?
6. ¿Cuáles . . . las preguntas?
7. Nosotros no . . . en el centro del mundo.
8. . . . imposible contestar bien.
9. Las carretas . . . grandes.
10. ¿Cuál . . . la causa de su tristeza?
11. Las preguntas no . . . fáciles.
12. ¿ . . . el rey en el palacio?
13. Las contestaciones . . . muy buenas.
14. Los pies del rey . . . en el centro del mundo.
15. ¿ . . . asombrado el rey?
16. Vd. no . . . el cocinero.
17. ¿ . . . verdad que no hablo con el abad?
18. ¿ . . . malos los consejeros?
19. Nosotros no . . . tristes.
20. ¿En qué . . . pensando Su Majestad?
21. La abadía no . . . muy rica.
22. Vd. . . . hablando con su cocinero.
23. El mundo . . . redondo como una bola.
24. ¿Con quién . . . Vds. hablando?
25. Ahí . . . el centro del mundo.

Exercise VII

LOS DOS LOCOS

A

Make the following sentences negative: (6)
1. Es famoso entre los habitantes.
2. Han dicho que son malos.
3. El campesino ve al loco.
4. Puede defenderse.
5. El hombre sale a la plaza.
6. Los holgazanes se divierten.
7. El proprietario le da un bastón.
8. Hay otro loco en Chinchilla.

B

Supply the Spanish equivalent of the words in English: (35)
1. El hombre *has* un bastón.
2. ¿*Do you have* una fonda?

3. *He does not have* enemigos.
4. *They have* dos pesetas.
5. ¿*Does he not have* sombrero?
6. ¿*Do you not have* ninguna lección?

C

Fill in the blanks with the appropriate words:
1. El loco . . . en Chinchilla.
2. Un campesino . . . a la fonda.
3. El hombre . . . a la plaza.
4. El loco . . . a gritar.
5. El campesino . . . tras el loco.
6. ¡ . . . otro loco en Chinchilla!
7. El loco no . . . defenderse.
8. Dicen que el hombre . . . loco.

EXERCISE VIII

ECONOMÍA

A

Continue throughout the six forms: (*17a*)

mi libro y mis estantes
mi tienda y mis obras
mi cuidado y mis economías

B

Translate the words in parentheses: (*17a*)
1. En (his) librería hay muchos libros.
2. (Our) libros son caros.
3. (My) curiosidad era grande.
4. Dejaba los libros en (their) lugar.
5. ¿Cuáles son (our) obras?
6. (Your—*2nd pl.*) ejemplares son nuevos.
7. (Its) precio es treinta reales.
8. (Your—*2nd s.*) ejemplar es hermoso.

C

Translate the words in parentheses: (*17a*)

(your—*2nd s.*) libros
(your—*2nd pl.*) calle
(their) títulos
(our) librero
(its) precio
(her) aspecto

(their)	cortesía	(your—*2nd pl.*)	duro
(our)	tiempo	(our)	reales
(its)	hojas	(his)	estudiantes
(my)	economía	(our)	calma
(your—*3rd s.*)	curiosidad	(his)	cuello

D

Translate the English words given in parentheses: (*17a*)

1. (My) libros son fáciles.
2. (Our) tienda es grande.
3. (My) estudiantes son inteligentes.
4. (Her) calle es hermosa.
5. ¿Dónde está (your) libro?
6. ¿Quién tiene (our) volumen?
7. (His) aspecto es modesto.

EXERCISE IX

EL TÍO CIRILO

A

Supply the personal accusative a *when needed in the following sentences:* (*58*)

1. Cirilo ayuda . . . su mujer.
2. Ellos encuentran . . . González en su cuarto.
3. Ella gana . . . algunas pesetas.
4. Ella espera . . . Cirilo.
5. La mujer va a buscar . . . la ropa.
6. Cirilo enciende . . . la lámpara.
7. No quieren despertar . . . los hombres.
8. Los dos quieren matar . . . un ratón.

B

Supply the missing word, and explain why it should be used: (*57, 58*)

1. Cirilo llegó . . . casa con la noticia.
2. Él respondió tranquilamente . . . González.
3. El hombre se dirigió . . . su mujer.
4. Esta noche vas . . . ayudarme.
5. El capitán volvió . . . su cuarto muy cansado.
6. ¡Un reloj que le costó . . . mi padre cinco mil reales!
7. Preguntó . . . su mujer qué debía hacer.
8. El capitán se acerca . . . la mesa.
9. Había venido . . . vivir con ellos.

C

Translate the following verb forms:

1. era—tenía—respondió—ganaba
2. hay—parece—dice—mato
3. he notado—había venido—he matado—había hecho
4. trabajaba—costó—volvió—había
5. hacer—gritar—despertar—salir

D

Give the 3rd person, singular and plural, present perfect of the following verbs: (32)

trabajar	ganar
comer	comprender
salir	vivir
notar	replicar

Exercise X

LA ESTRATEGIA DE DON JOSÉ MARÍA

A

Translate the words in parentheses: (18)

(this)	cena	(that)	tierra
(these)	hechos	(this)	barco
(that)	vida	(this)	batalla
(those)	amigos	(those)	instrucciones
(that)	soldado	(those)	franceses
(these)	países	(that)	orden

B

Supply the translation of the words in English: (18, 26)

1. (This) es un cuento muy divertido.
2. (These) son mis amigos.
3. (Those) franceses tienen una buena posición.
4. Él tenía sólo (these) cuatro cañones.
5. He vivido en (those) tierras.
6. ¿Es (this) el general Ricardos?
7. No comprendo todo (that).
8. Todo (this) es muy interesante.
9. (That) hombre ha sido soldado.
10. (This) es una invención admirable.

11. Yo gané (that) batalla.
12. (This) hecho fué nuestra salvación.

C

Give the plural of the following sentences:

Example: Esta invención es admirable.
Estas invenciones son admirables.

1. Este cuento de don José es muy divertido.
2. Siempre habla de aquella aventura.
3. Su amigo escucha ese cuento.
4. Aquel hombre es soldado.
5. Éste es el héroe de la batalla.

D

Translate into Spanish:

1. These are the stories.
2. This supper is very good.
3. These adventures are amusing.
4. This is the day.
5. That is our salvation.
6. Those Frenchmen are my friends.

Exercise XI

UN POCO DE GRAMÁTICA

A

Give the first person singular, first person plural, and third person plural imperfect indicative of the verbs listed: (*38*)

poder
sufrir
llegar
decir
mirar
ofender
repetir
perder
dar
deber
entrar
haber

B

Supply the personal pronoun subjects for the following verb forms: (*38*)

1. podíais—repetía—habían—entrábamos
2. sufrías—miraban—daba—debía
3. perdíamos—cambiabais—llegabas—habían
4. decían—mirabas—perdía—ofendíamos

C

Construct sentences using the verbs in the imperfect indicative with the nouns given. Complete the sentence with one or two appropriate words:

Example: (comprar) . . . burros para . . .
Él compraba burros para su padre.

1. (tener) . . . profesor de . . .
2. (llegar) . . . escuela con . . .
3. (mirar) . . . al portero lleno de . . .
4. (repetir) . . . sus explicaciones en . . .
5. (preguntar) . . . la lección al día . . .
6. (dar) . . . lecciones de gramática en las . . .

D

Translate into Spanish:

1. He used to arrive at school with a large book.
2. Don Emilio would answer, "Good morning!"
3. In his classes he used to repeat his explanations.
4. It was his custom to talk with the janitor.
5. He used to end the class with a long speech.
6. The teacher always met his friends in the streets.

EXERCISE XII

MIENTRAS EN CASA ESTOY, REY SOY

A

Change to the preterite: (*39, 41*)

1. conservo—llaman—ha
2. tenemos—vivís—deja
3. necesita—respondes—trabajáis
4. tengo—hablamos—termina
5. cogimos—corren—salen

B

Give the present, imperfect, and preterite of the verbs listed in the persons indicated:

(*1st s.*) hablar, comer
(*2nd s.*) aprender, vivir
(*3rd s.*) sacar, deber
(*1st pl.*) mandar, salir

(*2nd pl.*) dormir, llamar
(*3rd pl.*) dejar, responder

C

Use the verbs given in parentheses in the imperfect tense: (*38*)

1. (to live) El cura . . . en una vieja casa.
2. (to leave) Los ruidos no . . . a nadie en paz.
3. (to need) Nosotros . . . tranquilidad y sueño.
4. (to have) Encarnación no . . . buen genio.
5. (to work) Vds. . . . para el Ayuntamiento.
6. (to be) Ésa . . . su costumbre.
7. (to close) Tú . . . las puertas a la una de la noche.
8. (to be) Los esposos . . . en el piso bajo.
9. (to call) Nosotros le . . . «el cura de la aldea.»
10. (to happen) Eso . . . todas las noches.

D

Translate into Spanish:

1. He was a man of character.
2. I used to have disputes with Ciriaco.
3. The husband and wife were sleeping.
4. Ciriaco worked in the streets.
5. The man was already in the priest's house.
6. It seemed (to be) a storm.
7. The blows continued.
8. The priest did not work at that hour.
9. Ramiro and Encarnación lived on the ground floor.
10. We wanted to speak with the man.
11. The two women did not have a good temper.

Exercise XIII

LOS TRES CUERVOS

A

Translate the words in parentheses and determine their correct position in the sentence: (*20, 21*)

1. (it, *m.*) No comprendo.
2. (to me) Él comunica.
3. (them, *m.*) El soldado repite.
4. (it, *f.*) Ellos tenían.
5. (to you, *2nd s.*) Parece muy singular.
6. (them, *f.*) El general considera.
7. (me) Ellos siempre confunden con Juan.

8. (her) Conocemos aquí muy bien.
9. (him) Sus compañeros no creen.
10. (to her) Él desea hablar.
11. (it, *neuter*) No tuve ocasión de ver.
12. (them, *m.*) Podemos estudiar.

B

Replace the noun objects by the proper object pronouns, taking care to put them in the right place. (20)

Example: Ella compra los libros.
Ella los compra.

1. El general habla *al coronel.*
2. Nosotros vemos *a los soldados.*
3. Él tenía *el cuervo* en el estómago.
4. El comandante no entendió *la noticia.*
5. ¿Quién llevó *la noticia*?
6. Yo no he visto *esa ala.*
7. Yo vi *a mi compañero* enfermo.
8. No podemos explicar *el caso.*

C

Translate the words in parentheses, determining their correct position in the sentence: (20, 21, 22)

1. Él da (it [*m.*] to us).
2. Los soldados dicen (it [*neuter*] to me).
3. Ellas venden (it [*f.*] to you [*2nd s.*]).
4. Ellos enseñan (it [*f.*] to us).
5. Tenga la bondad de decir (them [*m.*] to us).
6. No puede explicar (it [*f.*] to me).
7. Ella va a traer (it [*neuter*] to you [*2nd pl.*]).
8. El coronel da (it [*neuter*] to him).
9. Un hombre explicó (it [*f.*] to them [*f.*]).
10. Ellos enseñan (them [*m.*] to them [*m.*]).

D

Translate into Spanish:

1. He explains it (*m.*) to me.
2. They are going to give it (*f.*) to us.
3. He saw them.
4. We had it (*f.*).
5. I am going to communicate it (*neuter*).
6. It is my duty to tell it to you.

7. Who gave the news to you?
8. I have not bought it.

Exercise XIV

LOS DOS SANTOS

A

Fill in the blanks with the preterite or imperfect of the verbs in parentheses: (40)

1. (preguntar) Los tres . . . al mismo tiempo.
2. (recibir) Ese día el cura . . . a los hombres en su casa.
3. (hablar) Uno de ellos . . . entonces en voz baja.
4. (poder) El cura no . . . aceptar esa proposición.
5. (salir) Los paisanos . . . de la casa muy satisfechos.
6. (desear) Ellos . . . oír más el nombre de San Medero.
7. (comprender) Entonces el predicador . . . las intenciones de los paisanos.
8. (llegar) . . . el día de la fiesta.
9. (exclamar) Al fin . . . :—¡Queridos hermanos!
10. (continuar) El predicador . . . con su sermón.
11. (estar) En la primera fila . . . los tres hombres.
12. (tener) Los aldeanos . . . una fiesta todos los años.
13. (decir) Todos los días . . . lo mismo.
14. (dar) El alcalde siempre . . . muestras de impaciencia.
15. (saber) Ellos . . . que el cura era una buena persona.
16. (añadir) —Eso no está bien— . . . el mayordomo.
17. (prestar) El año pasado él no nos . . . la menor atención.
18. (repetir) El eco . . . :—Medero, Medero, Medero.

B

Translate the words in parentheses: (40)

1. (I spoke) ayer con el cura.
2. El mayordomo (was writing) en su libreta.
3. Ese día una mujer (opened) la puerta.
4. Entonces los paisanos (asked) por el señor cura.
5. El tercero (was) un hombre muy rico.
6. Los hombres (worked) todos los días.
7. En ese momento (entered) el predicador.
8. ¿Qué (wanted) los vecinos?
9. Uno de ellos (was talking) en voz baja.
10. —¡Basta, basta!—(shouted) el alcalde.
11. Nosotros (used to understand) la lección.
12. Los tres (left) de la casa muy satisfechos.

C

In the following passages explain the use of the preterite and imperfect: (*40*)

1. Algo serio *ocurría* en la aldea. Los vecinos ya no *murmuraban* del casamiento de la hija de Xico, ni *daban* importancia al segundo matrimonio de Juana; hasta *olvidaron* el pleito de la aldea con la población vecina. El tema de toda discusión *era* algo de muchísima más importancia, pues los aldeanos *formaban* grupos y *discutían* horas y horas.
2. *Se dirigieron* los tres aldeanos a la casa del señor cura. Cuando el ama *abrió* la puerta *preguntaron* casi al mismo tiempo:

   —¿Está el señor cura?

   —Adelante—*contestó* una voz dulce.

El buen cura los *recibió* sentado detrás de una mesa. Los paisanos *se miraron* confundidos y después de un largo silencio *presentaron* el problema.

D

Translate into Spanish:

1. One day they spoke with the priest.
2. They used to come to his house.
3. They knew that he was a good man.
4. The men were three villagers.
5. "Come in!" answered the good priest.
6. Then they presented the problem.
7. "That is not right," the mayor was saying.
8. Last year we spoke to the preacher.
9. We entered the house.

Exercise XV

LA PANTORRILLA DEL COMANDANTE

A

First Class Radical Changing Verbs

contar (ue)	to tell	**perder (ie)**	to lose
empezar (ie)	to begin	**poder (ue)**	to be able
mostrar (ue)	to show	**querer (ie)**	to want
pensar (ie)	to think	**volver (ue)**	to return

Give the verb forms of the present indicative in the persons indicated: (*37*)

(*1st s.; 1st pl.*) pensar, perder
(*2nd s.; 3rd s.*) contar, poder

(*2nd pl.; 3rd pl.*) empezar, querer
(*1st pl.; 3rd pl.*) mostrar, volver

B

Second Class Radical Changing Verbs

dormir (ue) to sleep **preferir (ie)** to prefer
morir (ue) to die **sentir (ie)** to feel, regret

Fill in the blanks with the proper form of the verb in the present: (*37*)

1. (sentir) Los oficiales . . . ver la insistencia de Uriondo.
2. (preferir) El capitán y yo . . . ganar.
3. (dormir) Tú . . . todo el día.
4. (sentir) Uriondo no . . . perder la apuesta.
5. (dormir) Mi amigo . . . muy poco.
6. (preferir) ¿Qué . . . Vd.: cantar o tocar la guitarra?
7. (morir) Todos los hombres . . .

C

Third Class Radical Changing Verbs

pedir (i) to ask for **servir (i)** to serve

Conjugate in the present indicative: (37)

pedir
servir

D

Translate into Spanish:

1. He loses his money.
2. I cannot accept it.
3. She does not want to sing.
4. He returns with Uriondo.
5. You (*2nd pl.*) close the door.
6. You (*pl.*) tell me that he is an excellent friend.
7. We prefer to play the guitar.
8. I regret not knowing the captain.
9. He asks [for] money.
10. She shows me the letter.

Exercise XVI

LA REINA

A

Continue throughout the six forms: (*23*)

yo me preparo yo me sorprendo

B

acercarse	to approach	**presentarse**	to present oneself
levantarse	to get up	**quedarse**	to remain
lavarse	to wash oneself	**retirarse**	to withdraw
prepararse	to get ready	**sorprenderse**	to be surprised

Fill in the blanks with the proper form of the verb. In I use the present; in II use the imperfect, and in III use the preterite: (23)

I

1. (acercarse) El jefe de estación . . . .
2. (prepararse) El muchacho . . . para subir al tren.
3. (retirarse) Mi amigo y yo . . . del andén.
4. (levantarse) El otro . . . lleno de asombro.
5. (quedarse) Todos . . . contemplándola.

II

1. (prepararse) Nosotros . . . para un viaje.
2. (presentarse) El jefe . . . en el andén.
3. (levantarse) Tú . . . muy tarde.
4. (quedarse) Ella . . . pensando.
5. (sorprenderse) Él . . . mucho.

III

1. (lavarse) El muchacho . . . la cara.
2. (acercarse) Uno de ellos . . . a mí.
3. (retirarse) El hombre . . . muy satisfecho.
4. (presentarse) Tú . . . en mi casa.
5. (sorprenderse) Nosotros . . . mucho cuando él terminó la frase.

C

acostarse (ue)	to go to bed
divertirse (ie)	to amuse oneself
despertarse (ie)	to wake up
dormirse (ue)	to fall asleep
moverse (ue)	to move
sentarse (ie)	to sit down

Give the correct verb form of the present indicative in the persons indicated: (23, 37)

(*1st s.*) acostarse, moverse
(*2nd s.*) despertarse, dormirse

(*3rd s.*)	sentarse, divertirse
(*1st pl.*)	moverse, sentarse
(*2nd pl.*)	divertirse, despertarse
(*3rd pl.*)	dormirse, acostarse

D

Translate into Spanish:

1. He approaches
2. We get up
3. Are you getting ready?
4. We used to present ourselves
5. He was not surprised
6. Then he withdrew
7. We remained on the platform
8. I sit down
9. We fall asleep
10. You amuse yourself
11. They go to bed
12. She used to wake up

Exercise XVII

LOS LIBROS DEL GENERALITO

A

Determine whether to use haber *or* tener. *In I use the present and in II use the imperfect:* (*36*)

I

1. *El Generalito* . . . comprado muchos libros.
2. . . . ahora una enorme biblioteca.
3. Si Vd. . . . tiempo, cómpreme los estantes.
4. Los militares no . . . comprendido bien.
5. Nosotros . . . dedicado nuestro tiempo al estudio.

II

1. Su secretario . . . colaborado con él.
2. . . . los libros grandes al lado de los pequeños.
3. El general Tajes . . . las mejores obras de su tiempo.
4. Aquellos libros no . . . contribuido a sus glorias.
5. Yo . . . llamado al librero.

B

Fill in the blanks with the translation of the words in parentheses: (*47*)

1. (are there?) ¿ . . . muchos libros en la biblioteca?
2. (there were) En el despacho . . . dos estantes.
3. (there are) No . . . libros de la clase que Vd. quiere.

4. (there were) . . . obras buenas y obras malas.
5. (there was) No . . . disciplina entre los soldados.
6. (there was) Ayer . . . una reunión en la casa del general.
7. (were there?) ¿ . . . muchos militares allí?
8. (there are) . . . personas que no saben escribir.
9. (is there?) ¿ . . . un buen libro en su despacho?
10. (there was) Ese día . . . una disputa.

C

Translate the English words in parentheses: (36)

1. *El Generalito* (had) una biblioteca particular.
2. Los militares (had) venido a su casa.
3. El secretario (had) comprado las mejores obras.
4. ¿(Have) colocado ellos los libros en los estantes?
5. Un día *el Generalito* (had) un gran malestar.
6. Él no (has) comprendido sus explicaciones.
7. Nosotros (had) también un despacho.
8. ¿Quiénes (have) llamado al librero?
9. Yo no (have) entrado en su biblioteca.
10. Nosotros (have) una buena opinión de Vd.

D

Translate into Spanish:

1. He has good books in his private library.
2. We had not called the secretary.
3. Who has bought them?
4. They have a great deal of money.
5. The general had given the order.
6. There were no books of the kind that he wanted.
7. Were there many books in his study?
8. How many are there now?
9. Who has placed them on the book shelves?
10. There was a man who had a private secretary.

Exercise XVIII

EL DOCTOR BELMAR

A

Supply the correct article when needed in the following sentences and translate: (4, 5)

1. El doctor Belmar me dió . . . mano.
2. Don Andrés Belmar, . . . viejo amigo de mi familia, vivía en Santiago.

3. No debo asistir a . . . clases de la universidad.
4. Ayer encontré a . . . doctor Belmar.
5. . . . agua que bebo está fría.
6. Mi tía invitó también a mi amigo, . . . señor Álvarez.
7. . . . señor doctor, ¿me permite Vd. partir?
8. Este amigo mío es . . . médico.
9. Su padre era . . . hombre famoso.
10. Los dos salieron a tomar . . . desayuno.

B

Translate the English words in parentheses: (*48*)

1. (I don't like) escuchar los ruidos de la calle.
2. (I like) más el otro hotel.
3. (We like) la historia de San Ildurito.
4. (I don't like) asistir a las clases.
5. (You like) esas sillas.
6. (They used to like) hablar con el médico.
7. (She would like) las revistas mejicanas.
8. (He liked) el viaje a Santiago.

C

Supply pero *or* sino *in the blanks:* (*62*)

1. Mi tía salió . . . volvió otra vez.
2. Belmar no estaba en Valparaíso . . . en Santiago.
3. No era un hombre . . . un monstruo.
4. Quise salir . . . el doctor me contuvo.
5. No vuelve con el mismo libro . . . con otro.

D

Translate into Spanish:

1. One of the friends of my family is a doctor.
2. He likes to talk with my aunt.
3. Dr. Belmar recommended a trip to me.
4. I do not like that newspaper.
5. "Dr. Belmar," I said, "there is a man in this room."
6. Belmar was an old friend of my family.
7. My aunt thinks that I have lost my reason.
8. I wish to attend classes, but my family does not permit it.

Exercise XIX

LA MINA

A

Continue throughout the six forms: (42)

me dormí sentí pedí me divertí

B

Fill in blanks with the proper form of the verb in parentheses: (44)

1. (dar) Stuart dice:—Yo le . . . una opción para comprarla.
2. (tener) Ayer él . . . un gran disgusto.
3. (estar) El minero exclamó:—Yo . . . perdido.
4. (ir) Contaba que sus negocios . . . mal.
5. (ser) Vd. sabe que yo . . . un hombre honrado.
6. (dar) La semana pasada él me . . . el oro.
7. (ir) Un día Stuart . . . a San Francisco.
8. (ser) Creíamos que la mina . . . mala.
9. (decir) Él les . . . que habían llegado tarde.
10. (tener) —Yo . . . que conservar la mina—dice el minero.

C

Put the following sentences into the preterite: (42)

1. Stuart pide una rebaja.
2. El minero vende la mina.
3. Me despido de Russell.
4. El gerente repite la pregunta.
5. El minero se viste rápidamente.
6. Él duerme por la mañana.

D

Translate into Spanish:

1. They say that an old Indian has seen (visto) the mine.
2. He had decided to sell the mine.
3. I myself do not understand it.
4. I asked the manager if he was going to buy the mine.
5. They knew that the mine was not poor.
6. The employee came with the telegram.
7. I have the money in my hand.
8. I thought that you were an honest man.
9. I gave him the samples from the mine.
10. He went to San Francisco in order to speak to the engineer.

Exercise XX

UN IDILIO

A

Form commands, using the infinitive in parentheses: (52)

1. (Tomar) Vd. el sombrero.
2. (Darme) Vd. la carta.
3. (Levantar) Vds. la cabeza.
4. No (llorar) Vd.
5. (Escribir) Vds. ahora.
6. (Leer) Vd. este libro.
7. (Llamar) Vds. a mi padre.
8. (Ir) Vd. a visitarle.
9. (Salir) Vds. del cuarto.
10. (Traer) Vds. el sombrero.
11. (Venir) Vd. a la oficina.
12. (Decir) Vd. su nombre.

B

Put the following sentences (1) *into the future,* (2) *into the conditional, and* (3) *translate:* (44)

1. ¿Qué dice su madre?
2. Le di la carta.
3. Íbamos a consultar a la enfermera.
4. Le escribe una carta.
5. Él los casa.
6. Lo hace otra vez.
7. Repetí la palabra.
8. No era para hacerme caricias.
9. Pidió una pluma.
10. No quieren casarse.
11. No tienen clases.
12. No comprenden la situación.

C

Place the infinitive in parentheses in the future or conditional tense as required by the sense: (43, 44)

1. Dijo que los (perdonar).
2. Dice que (recibir) seis palmetazos.
3. Prometieron que no lo (hacer) más.
4. Me dicen que eso no (tener) remedio.
5. Leí que (venir) al día siguiente.
6. Creo que él no (poder) dárnoslo.

D

Translate into Spanish:

1. Father John says, "Suárez, come with me!"
2. Suárez will go to the other school.
3. The father superior said that he would marry them.
4. I shall give it to him right now.
5. They say that we shall arrive late.
6. He thought that the girl would come to school.
7. She will cry a great deal.
8. Tell me why the father superior wants to speak to me.

Exercise XXI

EL VAGABUNDO

A

Replace the words in italics with the proper possessive pronoun: (25)

Example: Me ofreció de *su comida.*
Me ofreció de la suya.

1. Es *mi banco.*
2. Se apodera de *mi asiento.*
3. Saca *su cuchillo.*
4. Él le enseñaba *su artículo.*
5. Sólo hallamos disgustos en *nuestra campaña.*
6. Se veían brillar las luces de *sus casas de Vds.*
7. Me habló de *su familia.*
8. Yo tengo derecho de disponer de *mi persona.*
9. *Mi madre* estaba siempre enferma.
10. *Su padre de él* era obrero.

B

Translate the English words in parentheses, being careful to avoid ambiguity in the forms used: (25)

Example: Mi banco y el suyo *or* el de ellos.

1. Su dinero y (mine).
2. Nuestras vidas y (his).
3. Mi cuchillo y (theirs).
4. Su madre de ella y (yours).
5. Su periódico y (ours).
6. Mi carácter y (hers).
7. Nuestros amigos y (theirs).

C

Supply the proper forms of comparison in place of the italicized English words: (59, 60)

1. Él tiene menos dignidad *than* el autor.
2. Ganó más *than* tres duros ayer.
3. El hombre se cree *better than* sus vecinos.
4. Mis hermanos son *older than* yo.
5. Esa niña es *younger than* Juan.
6. Él ganaba *as much* dinero *as* su padre.
7. Él tiene *as much* libertad *as* el autor.
8. No tengo *as many* amigos *as* Vd.
9. Este sitio es *as* bueno *as* aquél.
10. Viven *as* bien *as* yo.

D

Translate into Spanish:

1. The beggar was nearer the tree than I.
2. He showed me an article in the newspaper; it was mine.
3. This individual is as dirty as the other.
4. There is less work in Spain than in Chile.
5. It is easier to beg than to work.
6. That bench is not his.
7. With his money and hers they can buy the house.
8. They do not eat as much as we.
9. He saw that I had more money than he.
10. The man does not earn as much as I.

Exercise XXII

LA MONEDA DE ORO

A

Change the form of the descriptive adjectives to the absolute superlative: (*12*)

Example: grande—grandísimo

1. Pérez era un hombre pequeño.
2. Tenía algunos libros viejos.
3. Las tardes del otoño son tristes.
4. Esa señorita es inteligente.
5. Tenía una hermosa colección.

B

Replace the dashes by the suitable person and tense of the expression in parentheses and translate:

1. (acabar de) Aquel día Sandoval . . . adquirir un *luis* de oro.
2. (tener sed) Cuando el coleccionista . . . , toma un vaso de agua.
3. (tener sueño) Como el secretario . . . , se durmió.
4. (tener vergüenza) Al ver el *luis*, Sandoval . . .
5. (haber sol) Ayer no . . .
6. (tener que) Pérez ha . . . leer el periódico.
7. (tener ganas de) Teresita . . . intervenir.
8. (tener miedo de) El joven . . . ofender a sus superiores.
9. (haber que) Don Ramiro dijo que . . . encontrar las monedas.
10. (tener edad) ¿Qué . . . Pérez ahora?
11. (tener razón) Me parece que Sandoval no . . .
12. (haber de) Decidió que su hija . . . creer que Pérez era un ladrón.

C

Place the following sentences in the imperfect: (38)

1. Pérez es su brazo derecho.
2. Don Ramiro va a su despacho.
3. Acabo de encontrar el *luis* que había perdido.
4. No encuentran las monedas.
5. Ven los mismos libros todos los días.
6. Buscamos datos en el despacho.
7. Siempre llegan temprano.
8. Es solterón y vive con su madre.
9. Voy a creer que Vd. tiene la culpa.
10. Pérez se inclina y escribe con escrupulosa letra.

D

Translate into Spanish:

1. Please write this sentence.
2. Don Ramiro's daughter was twenty years old.
3. While he was sleeping, Sandoval returned.
4. Sandoval was afraid that there was a thief among his servants.
5. It was necessary to dismiss one of them.
6. The secretary had to wait for don Ramiro.
7. I do not believe that he was right.
8. Listen to me! I am very cold.
9. The poor boy was thirsty when he arrived home.
10. Mr. Artigas and his wife have just come.

Exercise XXIII

EL TORRENTE

A

Continue the prepositional pronoun throughout the six forms: (24)

1. El agua es para mí.
2. El muchacho está conmigo.
3. Ellos hablan de mí.

B

Translate the words in parentheses and place them correctly in the sentence: (24)

1. El muchacho partió con (them—*f.*).
2. Martín iba al lado de (him).
3. Cruzó el puente con (me).
4. Volvió la cara hacia (us).

5. Ellos estaban junto a (me).
6. Todo depende de (you—*form.*).
7. Voy delante de (you—*fam. s.*).
8. Martín corrió tras (her).
9. El niño pensó en (it).
10. Ellos hablaban con (you—*fam. pl.*).

C

Replace the nouns in italics by the correct pronouns: (24)

Example: Hablo con *Juan.*
Hablo con él.

1. Él caminaba con *sus animales.*
2. Volvían sus nobles cabezas hacia *el muchacho.*
3. La última palabra fué para *su madre.*
4. El niño no volvió con *la vaca.*
5. Martín no podía volver sin *la Pinta.*
6. Un golpe de agua le arrojó *al torrente.*
7. Pasó el día junto a *los árboles.*
8. Los aldeanos hablaban de *aquel animal.*

D

Translate into Spanish:

1. He entered without them.
2. He does not want to be with me.
3. The cows are for him.
4. The villagers are speaking of them.
5. The neighbors were not with you (*fam. s.*).
6. There are many boys in it (*f.*).
7. Martin went to her.
8. One of them looked at the mountains.
9. The boy walked toward them.
10. It depends on (de) you.
11. His parents do not want to think of it.
12. They did not have time for it.

Exercise XXIV

DON MELITÓN

A

Give the formal and familiar commands of the verbs in italics: (*52, 53*)

Example: *Comprar* un libro

Compre Vd. un libro.	Compren Vds. un libro.
Compra tú un libro.	Comprad vosotros un libro.

1. *Contestar* a las preguntas.
2. *Aprender* la lección.
3. *Escribir* a los amigos.
4. *Gastar* el dinero.
5. *Abrir* los ojos.

B

Supply the proper interrogative word or expression in the blanks: (27)

1. ¿ . . . cree la cocinera cuando oye cantar a la mujer?
2. ¿ . . . sale sin don Melitón?
3. ¿ . . . vive el tío de don Melitón?
4. ¿ . . . de los dos es más joven?
5. ¿ . . . llega el esposo a la oficina?
6. ¿ . . . está roto el forro del chaleco?
7. ¿ . . . cuesta la cigarrera?
8. ¿ . . . necesita dinero para comprarse un gabán?
9. ¿ . . . dice ella acerca de Elena?
10. ¿ . . . es un chaleco?

C

Form an exclamation from the following phrases and sentences:

Examples: Hombre abandonado. ¡Qué hombre más abandonado!
El vestido es precioso. ¡Qué precioso es el vestido!

1. Gabán barato.
2. Laurita es joven.
3. Mujer bonita.
4. La cigarrera es cara.
5. Melitón está contento.
6. Hombre rico.
7. Serafín es cuidadoso.
8. Sombrero grande.

D

Translate into Spanish:

1. I shall give you (*fam.*) the money.
2. What an intelligent woman!
3. How well she sings!
4. Come here! Do you hear her voice?
5. How much does Helen's coat cost?
6. Whom is Melitón going to ask for money?
7. How cheap his purchase is!
8. Clean your coat! Here is (you have) a needle.

Exercise XXV

LA VIUDITA

A

Place the italicized negatives in the following sentences after the verb: (*30*)

Example: Nadie viene.
No viene nadie.

1. *Nada* sabíamos de esto.
2. *Nadie* ha venido.
3. *Nunca* ve a Carlitos.
4. *Ninguno* de ellos había contado la historia.
5. *Nadie* pasó por allí.
6. *Jamás* había visto a nadie en la tienda.
7. *Tampoco* él quería cumplir la orden.
8. *Nada* oía él por la noche.

B

Make negative the following sentences: (*29*)

1. Ha venido por algo.
2. Alguien se murió del susto.
3. Uno de los transeúntes la vió.
4. La Fuente vió a alguien en la tienda.
5. La viuda sale a alguna de estas calles.

C

Fill in the blanks with the translation of the words in parentheses: (*29, 30*)

1. (something) Dígame Vd. . . .
2. (anything) El hombre no había visto . . .
3. (any) No he comprado . . . libro.
4. (No one) . . . se siente capaz de hacerlo.
5. (anybody) ¿Ve Vd. a . . . en la tienda?
6. (some) Dió . . . pasos antes de sacar su pistola.
7. (either) Carlitos no pasó por allí . . .
8. (any) ¿Ha hecho Vd. . . . promesa?

D

Translate into Spanish:

1. They tell some alarming stories in Arequipa.
2. No one wanted to go out in the evening.

3. There was nothing in the street.
4. Irene never found Carlitos.
5. No one passed by the hospital after ten o'clock.
6. The ghost was looking for someone.
7. Carlitos came to talk to the general.
8. No one knew anything about him.
9. The general was astonished on seeing her. (*57, 3*)
10. She used to return calmly to the flower shop.

Exercise XXVI

UN SOÑADOR

A

Read the following numerals: (*13*)

Example: 12 + 13 = 25
Doce más trece son veinticinco

4 + 6 = 10	432 + 67 = 499
45 + 13 = 58	361 + 174 = 535
97 + 23 = 120	748 + 261 = 1009
75 + 38 = 113	926 + 738 = 1664
47 + 61 = 108	517 + 975 = 1492

B

Read: (*13*)

50 chozas	500 hombres
100 indios	120 embarcaciones
24 cigarrillos	1000 animales
200 mulas	300 días

C

Read:

1. He estado en esta choza más de 15 veces.
2. No había más que 40 mulas en el pueblo.
3. Había por lo menos 75 agujeros en el techo.
4. Sacó unos 125 cigarrillos.
5. Hay que viajar 53 días para llegar a la mina.
6. Había unos 100 monos en los árboles.
7. Salió con 89 compañeros.
8. Pasé allí unos 20 días.
9. Encontramos 1000 latas en el suelo.
10. Había 1500 relojes en la tienda.

D

Translate into Spanish:

1. In order to get to (llegar a) the mine, we traveled 60 days.

2. I had traveled 12 hours when I arrived at the hut.
3. He said that 60 men had already passed.
4. They went toward the mine with 15 mules.
5. Near the mine there were some 200 huts.
6. About (unos) 20 guides wished to accompany us.
7. About 900 men lived in the town.
8. Of my companions, 14 were on the boat.
9. The thief had my watch and 100 duros.
10. One day we found a guide.

Exercise XXVII

UNA BROMA DE CARNAVAL

A

Read the following sentences, placing the verb in the progressive form: (*46*)

1. Pienso en las historias de mi juventud.
2. Los hombres miran a Isabel.
3. Moría cuando el médico llegó.
4. Vivía entonces con su padre.
5. La mujer habla de su amigo.
6. Explicamos el caso a nuestros amigos.
7. Pedían permiso para entrar.
8. Hablabas a tu futura esposa.

B

Read the following sentences placing the verb in a perfect tense: (*45*)

Example: Hablo a mi amigo. He hablado a mi amigo. Salió a la calle. Había salido a la calle.

1. Llego a la oficina del doctor.
2. Visitamos el establecimiento.
3. Buscan al misterioso rival.
4. Tú no prestas atención.
5. Sale a la calle con Isabel.
6. ¿Por qué habló en secreto?
7. Enrique le pidió explicaciones.
8. Isabel es mi mejor amiga.
9. La loca terminó su historia.
10. Regresó temprano del baile.

C

Supply the translation for the words given in English: (45, 46)

1. *They had not come* a verme por mucho tiempo.

2. Su padre *was explaining* el caso al doctor.
3. *We have visited* ese establecimiento.
4. Tú *have not understood* la historia.
5. *He is thinking of* (en) su amigo.
6. *He had left* sin decir una palabra.
7. *She has not been* aquí esta mañana.
8. Las dos mujeres *were crying.*
9. *We had arrived* a la oficina del doctor.
10. Vosotros *have given* señales de conocerla bien.

D

Translate into Spanish:
1. Isabel had come with her friend.
2. Who was this rival who was speaking to his future wife?
3. They did not find Henry anywhere.
4. I thought that the woman had finished her story.
5. The man who had spoken to her had disappeared (desaparecer).
6. The mad woman paid no attention to me.
7. Her father had gone out of (salir de) town.
8. The doctor had finished the mad woman's story.
9. Her friend decided to become a nun.
10. He is explaining why he does not understand.

EXERCISE XXVIII

EL FIN DE UNA AVENTURA

A

With each of the subjects in the first column use each of the verbs in column II, employing the present, future, preterite, and present perfect tenses: (*44*)

I	II
El empleado	poner
Currín y yo	decir
Finita y él	poder
Tú	saber
Los padres	traer
Yo	hacer

B

Give the 3rd person singular and 3rd person plural in the present, imperfect, preterite, future, and conditional tenses of the following verbs: (*44*)

haber	ir	cerrar
ser	venir	sentir
estar	salir	pedir

C

Place the verb in the margin in the tense indicated by the English word in parentheses:

pagar	1. Yo (paid for) el billete.
escoger	2. Yo (choose) este sello.
pagar	3. ¡ (Pay) Vd. el reloj!
llegar	4. Sabían que yo (arrived) a las once.
seguir	5. Yo (continue) mirando a los dos chicos.
coger	6. ¡ (Take) Vd. el dinero!
dirigirse	7. Los niños (go) al andén.
seguir	8. La doncella francesa (continues) hablando con el cocinero.
buscar	9. Yo (looked for) mi álbum.

D

Translate into Spanish:

1. The employee could see that she was a girl of some eleven years.
2. The two children began to dance.
3. Finita brought him a beautiful stamp book.
4. Currín made an effort, and talked to her.
5. The following day Currín wrote some pretty bad verse.
6. The boy bought himself a new necktie.
7. When Currín said this, she blushed.
8. What will their parents say?
9. When they arrived at Ávila, they did not know what to do.
10. Finita was placed in a school by her father.

Exercise XXIX

EL CRIMEN DE LA CALLE DE LA PERSEGUIDA

A

Prepositions

acerca de	dentro de
antes de	después de
cerca de	detrás de
debajo de	encima de
delante de	frente a

Translate the English preposition in parentheses:

1. Siempre me acostaba (after) las diez.
2. De repente vi (before) mí a un obrero.
3. Yo vivía (opposite) su casa.

4. Yo volveré (within) dos minutos.
5. Mi bastón había caído (beneath) la mesa.
6. Dejé al hombre (near) la pared.
7. Partió (before) las siete.
8. Un hombre estaba (behind) la puerta.
9. El guardia quiso hablarme (about) algo.
10. Había una copa de cerveza (on top of) la mesa.

B

Supply the proper preposition in the blanks when needed and translate: (57, 2)

1. Los invitados tardaron . . . llegar.
2. Los locos no tratan . . . robarle.
3. Don Elías echa . . . correr.
4. Se acercó . . . la pared.
5. Quería . . . convencerle de mi inocencia.
6. Volvió . . . reírse.
7. Había pensado . . . el muerto toda la noche.
8. Empezaron . . . bailar en la calle.
9. Desea . . . salir en seguida.
10. Va . . . matar a uno de ellos.
11. Acababa . . . salir del casino.
12. Se puso . . . doblar el bastón.
13. Él tardó mucho . . . leer el periódico.
14. Todavía piensa . . . el crimen.
15. Principia . . . comprender lo que ha pasado.

C

Translate into Spanish: (57, 3)

1. Upon leaving the house, he met some men.
2. They were not long in approaching him.
3. They gave him a blow without saying anything.
4. Upon seeing them dance, he wanted to escape.
5. They were not trying to rob me.
6. Before going out, I exchanged my iron cane for another.
7. Upon arriving at the casino, I was calmer.
8. My daughter was long in waking me up.
9. I had thought of the crime instead of sleeping.
10. After reading the newspaper, he began to laugh.

Exercise XXX

EL POZO

A

Read the following dates in Spanish: (*15*)

El 12 de octubre de 1492	El 22 de febrero de 1732
El 1° de noviembre de 1844	El 14 de abril de 1931
El 4 de julio de 1776	El 1° de mayo de 1899
El 11 de noviembre de 1918	El 9 de octubre de 1547
El 2 de mayo de 1808	El 21 de marzo de 1934

B

Translate into Spanish: (*16*)

At 2 o'clock	It is 9 A. M.
At 6:30	It is 1:30 P. M.
At 7:10	It is 5:10 A. M.
At 9:45	It is 2:25 P. M.
At 3:35	It is 1:05 P. M.
At 4:05	It is 12:00 noon
At 11:15	It is 8:20 P. M.

C

Translate into Spanish the ordinals given in English: (*14*)

Jorge (the Fifth)	La (fifth) lección
Alfonso (the Thirteenth)	El (third) hombre
El siglo (eighteenth)	El (eighth) libro
Pedro (the Second)	La (first) calle
El (first) year	El (seventh) cuento

D

Translate into Spanish:

The traveler seated himself on the edge of the well in order to rest. He fell asleep (dormirse) and fell into the well. He struggled in the water until he found the surface. He began to climb little by little. Finally he arrived at the edge exhausted. A gaucho saw him. Believing that it was the devil, he let a stone drop on the traveler. The inhabitants of that region have placed a cross there in order to protect themselves from the devil.

Exercise XXXI

PARRÓN

A

Supply the proper relative pronoun in the following sentences: (*28*)

1. El gitano . . . entró sabía algo de Parrón.
2. El capitán, . . . estaba sentado en su despacho, se puso de pie.
3. Parrón mata a . . . le han visto la cara.
4. Parrón se ríe de . . . dice el gitano.
5. El bandido entrega al pobre su dinero, . . . le habían robado antes.
6. Este guardia, . . . se llama Manuel, levanta el fusil.
7. . . . el gitano había dicho a Parrón se cumplió.
8. Corrieron a recibir su parte del dinero . . . habían robado.
9. Al principio el gitano no sabe con . . . habla.
10. Este gitano era un hombre . . . sabía enseñar francés a una mula.
11. . . . conoce a Parrón es el gitano.
12. En las montañas, cerca de . . . está Granada, había muchos bandidos.
13. Por fin encontraron al gitano, . . . trajeron ante el capitán.
14. El campesino no sabía . . . Parrón iba a hacer.
15. Manuel era el bandido de . . . había hablado.
16. Los bandidos, . . . habían olvidado al gitano, le buscaron por todas partes.
17. El guardia . . . había cambiado la dirección del fusil creía que Manuel estaba loco.
18. La ciudad de . . . hablamos es muy importante.
19. Las señas de Parrón, acerca de . . . había hablado al capitán, fueron al fin conocidas.
20. Los guardias . . . habían buscado a Parrón no habían tenido éxito.
21. Vengo a recibir el dinero . . . has ofrecido.
22. Trajeron a un campesino . . . le habían robado veinte duros.
23. Parrón, . . . le había encontrado en el camino, volvió con él.
24. El gitano . . . había dado las señas se puso a mirar también.
25. Ese maldito mata a todos . . . le han visto la cara.
26. Manuel comprendió . . . había ocurrido.

B

Translate into Spanish:

The captain, who had looked for Parrón everywhere, was in bad humor that day. He did not even have his description because the bandit killed all those who saw him. A gypsy who had seen him came to give the captain the description. This gypsy, who had fallen into the power of the bandits, had seen (visto) Parrón. He had told (dicho) Parrón that the civil guard would hang him in a month. One day there was a confusion in the camp, and the gypsy disappeared.

The captain was giving orders to the guards. The gypsy was looking at those who were there. One of the guards raised his gun and fired. The gypsy who had given the description of the bandit said that this guard was Parrón.

Exercise XXXII

LAS TRES COSAS DEL TÍO JUAN

A

Put the following verb forms into the present subjunctive: (49)

1. tiran
2. abre
3. trabajamos
4. debía
5. cumplió
6. se casó
7. comen
8. anunciaban
9. corrió
10. habláis

B

*Give the proper Spanish form of the English verb in parentheses:** (*51*)

1. Lucía desea que Apolinar (speak) con el tío Juan.
2. El joven teme que el tío Juan (will not permit him) casarse con Lucía.
3. Es necesario que él (learn) a trabajar.
4. Apolinar quiere que todo el mundo (work) como él.
5. Al principio no es posible que Apolinar (get up) temprano.
6. Es necesario que (carry) fuego en la palma de la mano.
7. Apolinar pide a los jóvenes que (go out) al patio.
8. El tío Juan quiere que Apolinar (do) tres cosas.

C

Put the dependent clause into Spanish:

1. El tío Juan quiere que Apolinar { take a glass of wine. / bring him a feather. / carry fire in his hand. }

* Irregular present subjunctives: hacer—haga, ir—vaya, salir—salga, traer—traiga, venir—venga.

2. Es necesario que el joven { work in the vineyard. / come home early. / speak to Uncle John. }

3. El joven pide a los mozos que { bring a spade. / go to the fields. / cultivate the vineyards. }

D

Uncle John is a very stubborn man. Apolinar wishes to marry his daughter Lucy, but he is afraid that Uncle John will not permit the wedding (la boda). Finally Uncle John asks Apolinar to fulfill three conditions. Apolinar talks to the workers. They tell him to work like them. He works every day in the fields, and soon is able to fulfill the three conditions. Lucy wants her father to present himself with a coat on the day of the trial. Uncle John does not want to do it. Since (como) Apolinar can work like a man, Uncle John gives him his daughter.

Exercise XXXIII

SEDANO

A

Give the imperfect subjunctive of the following verb forms: (*50*)

1. dan
2. meditan
3. bebía
4. viviré
5. él temía
6. nos levantamos
7. gastó
8. parecía
9. cambian
10. se presentó

B

*Place the following sentences in the past:** (*51*)

1. El autor quiere que Sedano vaya con él.
2. Le dice que cuente algo de su vida.
3. No cree que haya nada extraordinario que contar.
4. Ella le pide que venga.
5. Insiste en que le diga más.
6. A veces es necesario que él salga.
7. La mujer le dice que cuide a la niña.
8. Se alegra de que el muchacho haya cambiado de conducta.

* Note the following imperfect subjunctives: decir—dijese, haber—hubiese, ir—fuese, ser—fuese, tener—tuviese, venir—viniese.

9. Quiere que no le falte nada.
10. Siente mucho que la muchacha se case.

C

Translate the dependent clause into Spanish: (*51*)

1. Sedano se alegraba de que { the author spoke to him. / they had given him a position. / we came to Madrid. }
2. Era probable que { Sedano had spent the money on amusements. / he spent much time at her house. / he had no money. }

D

Translate into Spanish:

Sedano was an old man who used to work in our office. No one knew anything about him. One evening I asked him to tell me something of his life. He said that there was nothing to tell. Finally he told me that he had been rich and that he no longer had [any] money. He used to know a lady in Madrid, who disappeared one day. A few years later she presented herself in his house with a little girl. She told him to protect her child. He cared for her as if he were her father. Later the girl married a soldier. One day he had to give all his money to the girl because her husband had gambled with money which did not belong to him. The husband changed his conduct, and Sedano was glad (alegrarse de) that he had given him the money.

Exercise XXXIV

LA MOMIA

A

Put the italicized infinitives into the proper tenses: (*51*)

1. Las momias se habrían despertado si alguien *haber* entrado en las tumbas.
2. Antes de que *venir* los indios de la costa, el amo no pudo hacer nada.
3. Cuando los indios *ver* las momias, no quisieron mirarlas.
4. No hay ningún indio que *querer* mostrarle donde están las momias.
5. Cuando Rosales *encontrar* una momia de mujer, se marchará de allí.
6. Rosales encontrará la momia con tal que los indios le *ayudar*.
7. Trabajarán hasta que *levantar* la enorme piedra.
8. Los indios celebraron sus ceremonias sin que nadie los *ver*.

B

Supply para *or* por *in the blanks of the following sentences: (61)*

1. Vino a *Tambo Chico* . . . estudiar.
2. Pasaron . . . los corredores subterráneos.
3. Pagó a los indios un duro . . . día.
4. Los trabajadores trajeron varias momias . . . Rosales.
5. Don Santiago dijo que pronto saldría . . . Lima.
6. Nunca iban a las tumbas . . . la noche.
7. Corrió . . . una abertura de la gruta.
8. Compró la hacienda . . . poco dinero.

C

Translate into Spanish:

Don Santiago Rosales had come to live in *Tambo Chico. Tambo Chico* is a very large estate, and includes an Indian cemetery. According to (the) tradition in its subterranean galleries were the riches of the Inca empire. No Indian wished to aid Rosales. By employing Indians from the coast, he was able to find many objects of the Incas.

Rosales was not satisfied. He wanted to find a mummy of a woman. The Indians begged him to leave the dead in peace. They promised their crops to him provided that (con tal que) he would not search [any] more, but he did not yield. He put them out of his house without listening to them.

ABBREVIATIONS

art.	article	**inf.**	infinitive
aug.	augmentative	**m.**	masculine
comp.	comparative	**n.**	noun
cond.	conditional	**neg.**	negative
def.	definite	**p. p.**	past participle
dem.	demonstrative	**pl.**	plural
dim.	diminutive	**pr.**	proper
f.	feminine	**pres.**	present
fam.	familiar	**pres. p.**	present participle
form.	formal	**pret.**	preterite
fut.	future	**pron.**	pronoun
impfct.	imperfect	**s.**	singular
ind.	indicative	**subj.**	subjunctive

VOCABULARY

A

a to, at, with, in, from, on, for, by, by means of; *not translated when used to indicate a personal direct object.*
el **abad** abbot
la **abadía** abbacy
abajo below, downstairs, downward
abandonado, –a slovenly, careless
abandonar to abandon
abandonará *3rd s. fut. of* **abandonar** (he) will abandon
la **aberración** aberration
la **abertura** opening, aperture
abierto, –a open
el **abogado** lawyer
abraza *fam. s. command of* **abrazar** embrace!
abrazado, –a embracing
abrazar to embrace
el **abril** April
abrió *3rd s. pret. of* **abrir** (he) opened
abrir to open
abrirse to open
absorbido, –a absorbed, swallowed up
absurdo, –a absurd
el **abuelo** grandfather;. *pl.* grandparents
acabar to finish, to end; — **de** + *inf.* = to have just + *p. p.*
acabo *1st s. pres. ind. of* **acabar**; — **de** I have just
la **academia** academy
acariciar to caress
el **acceso** access
la **acción** action
aceptar to accept
acerca de about, concerning
se **acerca (a)** *3rd s. pres. ind. of* **acercarse** (he) approaches
se **acercaba (a)** *3rd s. impfct. ind. of* **acercarse** (he) was approaching
acercarse to approach, to draw near
acercóse *for* **se acercó** *3rd s. pret. of* **acercarse** (he) approached
me **acerqué** *1st s. pret. of* **acercarse** I approached
acertar (ie) to succeed, to guess
aciertan *3rd pl. pres. ind. of* **acertar** (they) succeed
acordarse (ue) to remember, to recall
me **acordé** *1st s. pret. of* **acordarse** I recalled
se **acordó (de)** *3rd s. pret. of* **acordarse** (he) remembered
acostar (ue) to put to bed
acostarse (ue) to go to bed, to retire
se **acostó** *3rd s. pret. of* **acostarse** (he) went to bed
acostumbrado, –a accustomed
se **acostumbraron** *3rd pl. pret. of* **acostumbrarse** (they) became accustomed
acostumbrarse to become accustomed
la **actitud** attitude
la **actividad** activity
el **acto: en el acto** immediately

Adeflor pseudonym of *Alfredo García (1876-) noted Asturian journalist and author*
adelante forward, ahead, come in!
el **ademán** gesture
adiós goodbye
el **administrador** administrator
admira *3rd s. pres. ind. of* **admirar** (he) admires
admirable admirable
admirablemente admirably
la **admiración** object of admiration
admirar to admire
¿a dónde? where? whither?
adorado, -a beloved
el **adorno** decoration, adornment
adquirir (ie) to acquire
la **adquisición** acquisition
advertir (ie) to warn
advierto *1st s. pres. ind. of* **advertir** I warn
el **afecto** liking
afirmaba *3rd s. impfct. ind. of* **afirmar** (he) affirmed, asserted
la **afirmación** assertion
afirmar to affirm, to assert
afligido, -a worried
afortunadamente fortunately
afuera outside; ¡—! get out!
las **afueras** outskirts
agarrarse (a) to grasp, to clutch
ágil agile
la **agilidad** agility
agotarse to be exhausted
agradable agreeable
agradar to please
agradecido grateful
el **agresor** aggressor; **¿Quiénes serían los agresores?** Who could the aggressors be?
el **agua** *f.* water; **más claro que el —** as clear as day
la **aguja** needle; **aquí tienes —** here is a needle
el **agujero** hole
¡ah! ah!
ahí there
ahora now; **— mismo** right now
ahorcado, -a hanged, by hanging
ahorcar to hang
airado, -a angry
el **aire** air; **— del mar** sea air
al = a + el to the, at the; **al +** *inf.* = upon + *pres. p.*; **al que** to the one who
el **ala** *f.* wing; **¿Y esa —?** What about that wing?
la **alabanza** praise
alabar to praise
Alarcón, Pedro Antonio de (1833-1891) *Spanish regional novelist and short story writer. Noted for his humor and his ability to tell a story.*
alarmante alarming
el **alba** *f.* dawn
el **álbum** album
el **alcalde** mayor
Alcántara *pr. n.*
el **alcohol** alcohol
la **aldea** village
el **aldeano** villager
alegre happily, merry, cheerful
la **alegría** joy
alejarse to go away, to withdraw
alemán, -a German
Alfonsín *pr. n. dim. of* **Alfonso** little Alfonso
algo something, somewhat
alguien someone

algún see alguno
alguno, –a any, some
el alienista alienist, specialist in mental diseases
el aliento breath
el alma *f.* soul
la almohada pillow
el almuerzo lunch
alrededor around
alto, –a high, loud
la altura height
la alucinación hallucination
alumbrar to light (up), to clear up
allá there; — voy I'm coming
allí there; por — over there
el ama *f.* housekeeper
la amabilidad amiability, kindness
amable amiable, agreeable, kind
amado, –a beloved
amar to love
amargamente bitterly
ambicioso, –a ambitious
ambos, –as both
la amenaza threat
amenazaba *3rd s. impfct. ind. of* amenazar (it) threatened
amenazar to threaten
la americana coat
la amiga friend
el amigo friend
la amistad friendship
el amo master
el amor love
amoroso, –a amorous
amplio, –a spacious
el análisis analysis
analizar to analyze
el anarquista anarchist
Anaximandro *pr. n.*
anciano, –a old
anda *3rd s. pres. ind. of* andar (it) (he) runs about, goes
anda *fam. s. command of* andar go! walk! come now!
andaban *3rd pl. impfct. ind. of* andar (they) were going
el andaluz Andalusian
andando *pres. p. of* andar walking
andar to go, to walk, to go around, to run about
el andén platform
los Andes mountain range of South America
Andrés *pr. n.* Andrew
Ángel *pr. n.*
la angustia anguish
el animal animal, wretch, brute, beast
el animalito *dim. of* animal little animal, little beast
anoche last night
anotar to put down
anote *form. s. command of* anotar put down!
la ansiedad anxiety; con — anxiously
ante before
los anteojos spectacles, glasses
antes before, first; — de before
antiguo, –a old, ancient
Antonio *pr. n.* Anthony
anunciar announce
añade *3rd s. pres. ind. of* añadir (he) adds
añadir to add
el año year; a los doce años at twelve years of age
aparece *3rd s. pres. ind. of* aparecer (it) appears
aparecer to appear
aparecía *3rd s. impfct. ind. of* aparecer (it) appeared

la **aparición** apparition, appearance
la **apariencia** appearance
apartado, -a remote, out of the way
apartar to withdraw
apartarse to get away, to withdraw
apenas scarcely
el **apetito** appetite; **hay —** you have an appetite
apoderarse (de) to take possession of
Apolinar *pr. n.*
apostar (ue) to bet
aprender to learn
aprenderse to learn; **— de memoria** to memorize
aprendí *1st s. pret. of* **aprender** I learned
apresurarse to hasten
aprisa hurriedly
aprovechar to profit by, to take advantage of
aproveche *form. s. command of* **aprovechar** take advantage of!
la **apuesta** bet, wager
apuesto *1st s. pres. ind. of* **apostar** I bet
apuntar to note, to put down, to aim
apunté *1st s. pret. of* **apuntar** I aimed
aquel, aquella that (yonder)
aquél, aquélla that one (yonder)
aquello that
aquí here; **por —** around here
el **arabesco** arabesque
el **aragonés** Aragonese, native of Aragon
el **árbol** tree
Arequipa *city in Peru*
argüir to argue
arguye *3rd s. pres. ind. of* **argüir** (he) argues
Aristófanes *pr. n.* Aristophanes
el **arma** *f.* weapon, arms
armado, -a armed, equipped
arrancar to snatch
¡arre! giddap
arreglar to arrange, to fix, to mend, to settle
el **arreglo** settlement
arriba up, upstairs; **¡—!** get up; **hacia —** up
la **arrogancia** arrogance, stately carriage
arroja *3rd s. pres. ind. of* **arrojar** (he) throws
arrojar to throw
arrojó *3rd s. pret. of* **arrojar** (he) threw
la **arruga** wrinkle
arruinado, -a ruined
arruinar to ruin; **arruinarle = arruinar + le** to ruin him
el **arte** *m. and f.* art
articular to articulate, to say
el **artículo** article
Artigas *pr. n.*
la **artillería** artillery
asaltar to assail, to strike
asegurar to assure
aseguro *1st s. pres. ind. of* **asegurar** I assure
asesinar to assassinate
el **asesino** assassin, murderer
así so, thus, so so, like that; **así es** that's right; **¿no es así?** isn't that right?
el **asiento** seat
asistir (a) to attend
asnal *adj.* donkey, of donkeys
se **asombraba** *3rd s. impfct. of* **asombrarse** he was astonished
asombrado, -a astonished

asombrar to astonish
asombrarse to be astonished
el **asombro** astonishment
el **aspecto** aspect, appearance
astronómico, –a astronomical
astuto, –a astute
el **asunto** matter, topic, subject
asustado, –a frightened
atacar to attack
atado, –a tied
el **ataque** attack
atar to tie
la **atención** attention
atender (ie) to take care of, to attend to
atentamente attentively
aterrado, –a terrified
atónito, –a astonished
atormentado, –a tormented
atrás back; **más —** farther back
atravesar to cross
atreverse (a) to dare
el **atributo** attribute
atrozmente atrociously
la **audacia** audacity, boldness
aumentar to increase
aun *or* **aún** even, still; **aun cuando** although
aunque although, even though
la **ausencia** absence
el **autor** author, painter
la **autoridad** authority
avanzado, –a advanced
avanzar to advance
la **aventura** adventure
averiguar to find out
la **aversión** aversion, dislike
Ávila *walled town 115 kilometers northwest of Madrid; population about 15,000*
¡ay! oh! alas! (*a cry of pain or a sigh*)
ayer yesterday; **— por la tarde** yesterday afternoon
la **ayuda** help
el **ayudante** assistant
ayudar to aid, to help; **ayudarle = ayudar + le** to help you
el **Ayuntamiento** municipal government
el **azadón** hoe
azul blue

B

¡bah! bah!
bailar to dance
el **baile** dance
baja *fam. s. command of* **bajar** go down!
la **baja** drop
bajar to go down, to lower, to take down
baje *form. s. command of* **bajar** lower!
bajo beneath, under
bajo, –a low, short
la **bala** bullet, cannon ball
el **balazo** bullet wound
el **banco** bench
el **bandido** bandit
el **baño** bath
barato, –a cheap
la **barba** beard
el **barco** ship
Baroja, Pío (1872-) *Outstanding contemporary Spanish novelist*
la **barra** bar
el **barrio** district
Bartrina, Joaquín María (1850-1880) *A bitterly pessimistic Spanish poet*
Basilisa *pr. n.*
basta *3rd s. pres. ind. of* **bastar** enough!; **— (de)** enough of

bastante enough, quite, pretty
bastar to be enough
el **bastón** cane
la **bata** dressing gown
la **batalla** battle
el **batallón** batallion
beber to drink
Bécquer, Gustavo Adolfo (1836-1870) *Post-romantic poet; most famous for his collection of 76 Rimas*
Béjar *pr. n.*
Belmar *pr. n.*
bellísimo, –a very pretty
la **bendición** benediction, blessing
bendito, –a blessed
el **beneficio** benefit
Benito *pr. n.* Benedict
Berlín Berlin
besar to kiss
la **biblioteca** library
bien well, right; **está —** all right
el **billete** ticket
blanco, –a white
la **blancura** whiteness
Blasco, Eusebio (1844-1903) *Aragonese dramatist and writer of short stories*
la **boca** mouth; **sin decir esta — es mía** without saying a word
la **bodega** wine cellar
la **bofetada** slap
la **bola** ball
el **bolero** bolero, *a type of Andalusian dance*
el **bolsillo** pocket
la **bomba** bomb
la **bondad** kindness
bondadoso, –a kind
bonito, –a pretty, beautiful
el **bono** bond
el **borde** edge
borracho, –a intoxicated, drunk
el **borrico** ass, donkey; **sois unos —s** you are a bunch of asses
el **borriquito** little donkey
el **bosque** forest, woods
el **botón** piece, nugget
bravo, –a brave
el **brazo** arm
brillante shiny
brillar to shine
la **brisa** breeze
la **broma** joke, prank
el **bromista** practical joker
brutal brutal
el **bruto** brute, blockhead
buen *apocopated form of* **bueno** good; **— día** good day
la **buenaventura** fortune
bueno, –a good, well; **¡—!** all right; **buenos días** good morning; **muy buenas** very good afternoon; **¡buena la hemos hecho!** a fine mess we've made of it!; **por buena que sea** however good it may be
el **buey** ox
la **burla** jest
el **burro** donkey
busca *3rd s. pres. ind. of* **buscar** (he) looks, looks for, seeks
el **buscador** seeker
buscar to look for, to seek
Buylla, Benito A. (1879-) *Professor at the University of Oviedo, critic, and author of short stories*

C

el **caballerito** little gentleman

el **caballero** gentleman, man; *in direct address* sir
el **caballo** horse; **a —** on horseback
la **cabellera** head of hair, hair
el **cabello** hair
la **cabeza** head
Cabrera *pr. n.*
cada each, every; **— cual** each one
el **cadáver** corpse
caer to fall
caerse to fall down
el **café** café, coffee
la **caída** fall
el **Caimanito** *pr. n.* Little Alligator
la **caja** box
calcular to calculate
calentar (ie) to warm
calentarse (ie) to warm oneself
California *pr. n.*
californianus California crow
la **calma** calm; **con —** calmly
el **calor** heat; **hace —** it is warm
callarse to remain silent
la **calle** street; **— abajo** down the street
el **callo** callus
la **cama** bed
cambiar (de) to change, exchange
cambio: en — on the other hand
cambió *3rd s. pret. of* **cambiar** (he) changed; **se — el nombre** he changed his name
camina *3rd s. pres. ind. of* **caminar** (he) walks
caminando *pres. p. of* **caminar** walking
caminar to walk
el **caminar** walking
el **camino** road, route; **cambiar de —** to change one's route; **— real** highway; **van por buen —** are getting along well
la **camisa** shirt
el **campamento** camp
la **campana** bell
la **campanilla** bell
la **campaña** campaign
el **campesino** peasant, farmer
el **campo** country, field
Campoamor, Ramón de (1817-1901) *Spanish post-romantic poet*
Campos, José A. (1805-1884) *Ecuadorian humorist; author of many humorous tales*
¡canastos! Good heavens!
cancelar to cancel
canoso, –a gray haired
cansado, –a tired
el **cansancio** weariness
cantar to sing
la **cantidad** quantity, amount
el **canto** song
el **cañón** cannon
la **capa** cape
capaz capable
el **capitán** captain; **mi —** Captain
el **capítulo** chapter
la **captura** capture
la **cara** face, expression
¡caracoles! heavens! by jingo!
el **carácter** character, disposition
¡caramba! goodness! gee whiz!
¡carambita! *dim. of* **caramba** doggonit
el **carbón** coal
la **carcajada** peal of laughter, loud laugh

la **careta** mask
la **caricia** caress; **hacer —s** to caress
la **caridad** charity
cariñoso, -a affectionate
carlista Carlist, *referring to Spanish civil wars in the nineteenth century concerning the succession to the Spanish crown. Named after the pretender, don Carlos.*
Carlitos *pr. n.* Charlie
el **carnaval** carnival, week before Lent
la **carne** meat, flesh
caro, -a expensive
carolingio, -a Carolingian, dealing with period of Charlemagne
la **carreta** cart
la **carta** letter, cards
la **cartera** pocket book, wallet
la **cartita** note, little letter
la **casa** house, home, rent; **a —** home; **a — de** to the home of; **en —** at home; **en — de** at the home of
casado, -a married
el **casamiento** marriage
casar to marry
casaré *1st s. fut. ind. of* **casar** I shall marry
casarse (con) to get married (to)
casi almost
el **casino** casino, club
el **caso** case, fact, situation; **hacer — de (a)** to pay attention to
el **castigo** punishment
Castilla *pr. n.* Castile
la **casualidad** chance
catartus (*Latin*) turkey buzzard
la **catástrofe** catastrophe
catorce fourteen
la **causa** cause
cavar to dig
cayendo *pres. p. of* **caer** falling
cayeron *3rd pl. pret. of* **caer** (they) fell
cayó *3rd s. pret. of* **caer** (he) fell; **— enfermo del estómago** he became sick to his stomach
la **ce** the letter *c*
ceder to yield, to give way
celebrar to celebrate
celoso, -a zealous, jealous
el **cementerio** cemetery
la **cena** supper
el **céntimo** cent
el **centro** center
cerca nearby; **— de** near; **de —** at close range
el **cerebro** brain
la **ceremonia** ceremony
ceremonioso, -a ceremonious
cerer *error in spelling for* **querer**
la **cerilla** match
cerrado, -a closed; **cerrada la puerta** when the door was closed
cerrar (ie) to close; **— de golpe** to slam
cerraron *3rd pl. pret. of* **cerrar** (they) closed, locked
la **cerveza** beer
ciegamente blindly
ciego, -a blind
el **ciego** blind man
el **cielo** heaven, sky
la **ciencia** science
ciento one hundred
cierto, -a certain, a certain
la **cigarrera** cigar case
el **cigarrillo** cigarette

el **cigarro** cigar
cinco five; **eran las —** it was five o'clock
cincuenta fifty
la **cinta** ribbon, tape
la **cintura** waist
circular to circulate
el **círculo** circle
Ciriaco *pr. n.*
Cirilo *pr. n.* Cyril
la **cita** appointment
la **ciudad** city
el **ciudadano** citizen
civil civil
claramente clearly
la **claridad** clarity, clearness
claro, –a clear, light, clearly
la **clase** class, kind
clásico, –a classical
la **cláusula** clause
clavar to fix
el **club** club
la **cocina** kitchen
el **cocinero** cook, chef
el **cocodrilo** crocodile
el **coche** coach
coger to seize, take, catch
cogió *3rd s. pret. of* **coger** (he) seized
colaborar to collaborate
colarse (ue) to steal through; **se hubo de colar** must have entered
la **colección** collection
coleccionar to collect
el **coleccionista** collector
la **colegiala** *girl attending a* **colegio**
el **colegio** school, boarding school
la **cólera** anger, choler, rage
la **colocación** position
colocado, –a placed
la **columna** column
el **collar** collar
el **comandante** major
el **comedor** dining room
comencé *1st s. pret. of* **comenzar** I began
comentar to comment (on), to make a comment
comenzar (ie) to begin, commence
comer to eat, to dine
el **comercio** commerce
comerse to eat up
cometer to commit
la **comida** dinner
comido *p. p. of* **comer** eaten
comiéndose *pres. p. of* **comerse** eating up
comienza *3rd s. pres. ind. of* **comenzar** (he) begins
la **comisión** commission, delegation
como since, as, like, as if; **— que** since
¿cómo? how? what?; **— era** what he was like; **¿— más baratos?** what do you mean, cheaper ones?; **¿— nada?** what do you mean, nothing?
el **compañero** companion
la **compañía** company
la **comparación** comparison
la **compasión** compassion, pity
el **compatriota** fellow countryman
el **complemento** complement
completamente completely, entirely
completar to complete
completo, –a complete
la **compra** purchase
comprar to buy
compre *form. s. command of* **comprar** buy!; **cómpreme = compre + me** buy me!
comprende *3rd s. pres. ind. of* **comprender** (he) unstands, realizes

comprender to understand, to realize
comprendían *3rd pl. impfct. ind. of* **comprender** (they) understood
comprendo *1st s. pres. ind. of* **comprender** I understand
común common
comunicar to communicate
con with, of, to
concedido, –a granted; — **el permiso** when permission had been granted
la **conciencia** conscience
conciliador, –a conciliatory
concluye *3rd s. pres. ind. of* **concluir** (he) concludes
concluyó *3rd s. pret. of* **concluir** (he) finished
el **conde** count
la **condición** condition
la **conducta** conduct
condujo *3rd s. pret. of* **conducir** (he) led, took
el **conejo** rabbit
la **conferencia** conference
confesar (ie) to confess, admit
la **confianza** confidence
confiese *form. s. command of* **confesar** confess!
confieso *1st s. pres. ind. of* **confesar** I confess, admit
confirma *3rd s. pres. ind. of* **confirmar** (he) confirms
confirmar to confirm
confirmo *1st s. pres. ind. of* **confirmar** I confirm, I shall confirm
confundido, –a confused, embarrassed
confundir to embarrass, to confuse
confundirse to become embarrassed, to mingle
la **confusión** confusion
confuso, –a confused, indistinct
la **conjetura** conjecture
conmigo with me, to me
conocer to know (persons), to be acquainted with, to meet
conocía *3rd s. impfct. ind. of* **conocer** (he) knew
conocido, –a known
el **conocido** acquaintance
el **conocimiento** knowledge
conozco *1st s. pres. ind. of* **conocer** I know
conque so
la **conquista** conquest
el **consejero** counsellor
el **consejo** advice
conservado, –a preserved
conservar to preserve, to keep; **¿cómo conservar . . . ?** how can I keep . . . ?
las **conservas** preserves
considerar to consider
consigo with himself, herself, itself, yourself, themselves
consolar to console
el **consuelo** consolation; **sin** — disconsolately
consultar to consult
contando *pres. part. of* **contar** by counting
contar (ue) to tell, relate, recount, count, say
contemplar to contemplate
contener to contain, to hold, to restrain
contenerse to restrain oneself
conteniendo *pres. p. of* **contener** restraining
contentísimo, –a very happy
contento, –a happy, con-

tented, satisfied, contentedly
contesta *3rd s. pres. ind. of* **contestar** (he, you) answer(s)
contestaba *3rd s. impfct. ind. of* **contestar** (he) used to answer, answered
la **contestación** answer
contestar (a) to answer
contestó *3rd s. pret. of* **contestar** (he) answered
contigo with you (*fam.*)
continúa *3rd s. pres. ind. of* **continuar** (it) continues
continuar to continue
continuó *3rd s. pret. of* **continuar** (he) continued
contra against
contrajo *3rd s. pret. of* **contraer** (it) contracted
el **contrario** contrary; **al —** on the contrary; **por el —** on the other hand, on the contrary
el **contrato** contract, agreement
la **contribución** tax
contribuido *p. p. of* **contribuir** contributed
contribuir to contribute
contuvo *3rd s. pret. of* **contener** (he) held
la **convalescencia** convalescence
convencer to convince; **convencerlos = convencer + los** to convince them
convencerse to be convinced
convencido, –a convinced
conveniente fitting, proper
convenir to be fitting, to suit, to be well
el **convento** convent, monastery
la **conversación** conversation
conversar to talk, speak, chat
la **convicción** conviction
conviene *3rd s. pres. ind. of* **convenir** (it) suits
convulsivo, –a convulsive
la **copa** glass, goblet
la **copita** *dim. of* **copa** small glass
el **corazón** heart
la **corbata** necktie
el **coro** chorus
la **corona** crown
el **coronel** colonel; **mi —** colonel
corpulento, –a corpulent, fat
corre *3rd s. pres. ind. of* **correr** (he) runs
corre *fam. s. command of* **correr** run!
Correas Íñigo, Gonzalo *d. 1631. Important compiler of proverbs*
correcto, –a correct, exact, proper
el **corredor** corridor
corregir (i) to correct
correr to run, to hasten, to go around; **— su suerte** to have her luck
corresponden *3rd pl. pres. ind. of* **corresponder** (they) correspond
la **corriente** current
cortar to cut, to cut short
la **cortesía** courtesy, politeness; **visita de —** social call **con mucha —** very courteously
corto, –a short
corvus (*Latin for* **cuervo**): **corvus corax** common raven
la **cosa** thing, matter, condition; **¡—s de la vida!** such is life!; **¡lo que son las —s!** that's the way things go!; **no . . . gran —** not very

much; **otra —** something else
la **cosecha** crop
coser to sew
la **costa** coast
costar (ue) to cost
costó *3rd s. pret. of* **costar** (it) cost
la **costumbre** custom, habit; **de —** usual; **como era —** as was the custom
no creas *neg. fam. s. command of* **creer** don't think
crecer to grow, to swell
cree *3rd s. pres. ind. of* **creer** (he) thinks, believes
creer to believe, think; **creerle = creer + le** to believe him
creería *3rd s. cond. of* **creer** (he) would believe
creo: ya lo — yes, indeed
creyendo *pres. p. of* **creer** believing, thinking; **— comprender** believing that he understood
creyó *3rd s. pret. of* **creer** (he) thought, believed
la **criada** servant, maid
el **criado** servant
criarse to be brought up
el **crimen** crime
la **crisis** fit
el **cristal** crystal
el **cristiano** Christian
Cristo *pr. n.* Christ
la **crítica** criticism
criticar to criticize
la **cruz** cross; **en —** crossed
cruzado, –a crossed
cruzar to cross
el **cuadro** picture
el **cual, la cual, los cuales, las cuales** who, which
lo **cual** which
¿cuál? what? which?
la **cualidad** quality
cualquiera anyone
cuando when
¿cuándo? when?
cuanto as much as; *pl.* as many as, all those who
¡cuánto, –a! how much!; *pl.* how many!
¿cuánto? how much?; *pl.* how many?
cuarenta forty
cuarto, –a fourth
el **cuarto** room, quarter
cuatro four; **a las —** at four o'clock
la **cubierta** cover
cubierto *p. p. of* **cubrir** covered
cubierto, –a covered
cubrir to cover
la **cuchara** spoon
el **cuchillo** knife
el **cuello** collar, neck
cuenta *3rd s. pres. ind. of* **contar** (he) counts, tells
cuentan *3rd pl. pres. ind. of* **contar** (they) tell, relate, say
cuente *form. s. command of* **contar** tell!
el **cuento** story, tale
la **cuerda** rope
el **cuerpo** body
el **cuervo** crow
cuesta *3rd s. pres. ind. of* **costar** (it) costs
la **cuestión** question, problem; **es — de** it is a matter of
el **cuidado** care, be careful!; **pierdan —** don't worry; **con mucho —** very carefully
cuidadosamente carefully
cuidadoso, –a careful
cuidando (de) *pres. p. of*

cuidar taking care (of), caring (for)
cuidar (de) to take care (of)
cultivar to cultivate, to till
el **cumpleaños** birthday
el **cumplimiento** fulfillment; dar — to fulfill
cumplir (con) to fulfill, to carry out
cumplirse to be fulfilled
el **cura** priest; señor — your (his) reverence, father
curar to cure
la **curiosidad** curiosity
el **curioso** inquisitive person
Currín Frank
el **curso** course
curtido, -a tanned
cuyo, -a whose
Cuzco *city in Southern Peru, former capital of the Incas*

CH

el **chaleco** vest
la **chaqueta** jacket
charlar to chat
el **cheque** check
la **chica** girl
el **chico** boy; *pl.* children; — del alma my dear fellow; oh, boy
Chinchilla *pr. n. village in Southeastern Spain, near Albacete*
la **chiquilla** little girl, child
la **chispa** spark; echar —s por los ojos to be very angry
¡chist! hush!
la **choza** hut

D

D. *Abbreviation of* **don**
da *3rd s. pres. ind. of* **dar** he gives; **lo que le da la gana** what he wishes
da *fam. s. command of* **dar** give!
daban *3rd pl. impfct. ind. of* **dar** (they) were attaching, giving
dad *fam. pl. command of* **dar** give!
la **dama** lady, woman
dar to give, to attach, to strike; **darle** = **dar** + **le** to give him; **darnos** = **dar nos** to give us; — **a** to open on, to face; —**le la gana a uno** to wish, to feel like; — **las gracias** to thank; — **un grito** to cry out; — **un paso** to take a step
el **dato** information; *pl.* data
de of, from, against, with, in, than, by, on, some of, about, at
dé *form. s. command of* **dar** give!; **déme** give me
debajo underneath, below; — **de** under, below
debe *3rd s. pres. ind. of* **deber** (he) must, ought, is to
deber to owe, ought, must, to have to; **deber de** + *inf.* must; **debía vigilarme** was to watch me
el **deber** duty
debes *2nd s. pres. ind. of* **deber** you (*fam.*) ought, should, must
debía *1st and 3rd s. impfct. ind. of* **deber** I (he) ought, was to
débil weak
debió *3rd s. pret. of* **deber** (he, you) ought
decía *1st and 3rd s. impfct.*

ind. of **decir** I (he) used to say, said

se **decía** *3rd s. impfct. ind. of* **decirse** it was said

decide *3rd s. pres. ind. of* **decidir** (he) decides

decidir to decide

decir to say, to tell; **decirle** = **decir** + **le** to tell him; — **que no** to say no; **sin** — without saying; **sin** — **esta boca es mía** without saying a word; **sin** — **ay** without uttering a sound

declarar to declare

dedicar to devote, to dedicate

el **dedo** finger

defender (ie) to defend; **defenderme** = **defender** + **me** to defend myself; **defenderse** = **defender** + **se** to defend himself

el. **defensor** defender

defiende *3rd s. pres. ind. of* **defender** it defends

definitivamente definitely

definitivo, –a definite

deforme deformed, hideous

deja *3rd s. pres. ind. of* **dejar** (he) allows, lets, leaves

deja *fam. s. command of* **dejar** leave!

dejaba *3rd s. impfct. ind. of* **dejar** (he, it) left

dejando *pres. p. of* **dejar** leaving; **dejándole** = **dejando** + **le** leaving him

dejar to leave, to let, to abandon, to permit, to allow; **dejarlos** = **dejar** + **los** to leave them; **dejé caer** I dropped; **por dejarse ver** because she allowed herself to be seen

dejara *3rd s. impfct. subj. of* **dejar**: **le pidieron que dejara** they asked him to leave

dejemos *hortatory subj. of* **dejar** let us leave

dejó *3d s. pret. of* **dejar** (he) left

del *contraction of* **de** + **el** of the, in the

delante in front, ahead

delante de before, in front of, ahead of

el **delegado** delegate

delicado, –a delicate

delicioso, –a charming

demasiado too, too much

la **demostración** demonstration

dentro in, within; — **de** in, within; **por** — on the inside, within

el **departamento** department

depender (de) to depend

dependiente dependent

depositar to deposit

derecho, –a right; *adverb* directly, straight

el **derecho** right

derramado, –a scattered

desagradable disagreeable

desaparecer to disappear

desarmar to disarm

desastroso, –a disastrous

descalzo, –a unshod

descansar to rest

el **descanso** rest

descargar to fire

descolorido, –a faded

desconcertado, –a disconcerted

desconcertar to disconcert

desconsolado, –a disconsolate

describir to describe

la **descripción** description

el **descritor** describer
descubierto, –a discovered, having been discovered
descubrir to discover
descuidado, –a heedless, heedlessly, by surprise, unaware
desde since, from; — **que** since
desea *3rd s. pres. ind. of* **desear** (he) wishes, desires
desear to wish, to desire
el **desengaño** disillusionment
deseo *1st s. pres. ind. of* **desear** I wish
el **deseo** desire
la **desesperación** despair
desesperado, –a desperate
la **desgracia** misfortune
deslizarse to slip away
la **desobediencia** disobedience
desobediente disobedient
desorientado, –a confused, having lost one's bearings
el **despacho** office, study
despedido, –a dismissed
despedir (i) to dismiss
despedirse (i) to take leave
despertar (ie) to wake
despertarse (ie) to wake up
se **despertó** *3rd s. pret. of* **despertarse** (he) woke up
despidió *3rd s. pret. of* **despedir** (he) dismissed
se **despiertan** *3rd pl. pres. ind. of* **despertarse** (they) wake up
el **despoblado** desert spot, wilderness
desproporcionado, –a out of proportion
después afterwards, later, then; — **de** after
destruir to destroy
detallado, –a detailed
el **detalle** detail
detenerse to stop
se **detenía** *3rd s. impfct. ind. of* **detenerse** (he) used to stop
determinar to determine
detrás de behind
se **detuvo** *3rd s. pret. of* **detenerse** (he) stopped
la **deuda** debt
devolver (ue) to return
devoto, –a devout
di *fam. s. command of* **decir** tell!; **dile** = **di** + **le** tell him; **diles** = **di** + **les** tell them; **dime** = **di** + **me** tell me
di *1st s. pret. of* **dar** I gave
el **día** day; **al** — per day; **al — siguiente** on the following day; **al otro** — the next day; **buenos días** good morning; **de** — by day; **todo el** — all day long; **todos los días** every day
el **diablo** devil; **¡diablos!** the deuce!; **¡qué diablos!** what the deuce!
diabólico, –a diabolical
la **dialéctica** dialectics, reasoning
el **diamante** diamond
diario, –a daily
Díaz Garcés, Joaquín (*d. 1921*) *Chilean author of satirical stories portraying Chilean society*
dice *3rd s. pres. ind. of* **decir** you say, (he) says, tells; **como se** — as they say; — **Vd. bien** you are right
dicen *3rd pl. pres. ind. of* **decir** (they) tell, say

dices *2nd s. pres. ind. of* **decir** you say
el **diciembre** December
diciendo *pres. p. of* **decir** saying, telling
dictar to dictate
dicho *p. p. of* **decir** said, told
dicho, -a aforesaid
el **diente** tooth
dieron *3rd pl. pret. of* **dar** (they) gave
diez ten; **a las — y media** at half past ten o'clock; **son las —** it is ten o'clock
diferente different
difícil difficult
la **dificultad** difficulty
diga *1st and 3rd s. pres. subj. of* **decir**: **que le —** that I am telling you; **¿quieres que te — la suerte?** do you want me to tell your fortune?; **lo que él —** whatever he says
diga *form. s. command of* **decir** tell! say! speak!
digan *form. pl. command of* **decir** tell!; **díganme** = **digan** + **me** tell me!
la **dignidad** dignity
digno, -a worthy
digo *1st s. pres. ind. of* **decir** I say, tell
dije *1st s. pret. of* **decir** I said; **me — para mí** I said to myself
dijeron *3rd pl. pret. of* **decir** they said
dijiste *2nd s. pret. of* **decir** you (*fam.*) said, told
dijo *3rd s. pret. of* **decir** (he) said; **se — para sí** he said to himself
dime *see* **di**
el **dinero** money, coin, denarius, piece of silver
dió *3rd s. pret. of* **dar** (he) attached, gave; **se —** he gave himself
Dios God; **¡por —!** for heaven's sake!; **¡— mío!** heavens!
el **dios** god
el **diploma** diploma, certificate
el **diputado** deputy, member of congress
dirá *3rd s. fut. ind. of* **decir** (he) will say
dirán *3rd pl. fut. ind. of* **decir** (they) will say
diré *1st s. fut. ind. of* **decir** I shall say, tell
la **dirección** direction; **en — de** toward; **con — a** toward
directamente directly
directo, -a direct
diría *3rd s. cond. of* **decir** (he) would say
dirige *3rd s. pres. ind. of* **dirigir** (he) directs, gives
dirigido, -a directed; **iban dirigidas** were directed
dirigiéndose *pr. p. of* **dirigirse** addressing
se **dirigieron** *3rd pl. pret. of* **dirigirse** (they) went
se **dirigió** *3rd s. pret. of* **dirigirse** (he) addressed, went
dirigir to direct
dirigirse to address, to go, to turn toward
la **disciplina** discipline
discreto, -a discreet
disculparse to excuse oneself
el **discurso** speech, discussion
la **discusión** discussion
discutían *3rd pl. impfct. ind. of* **discutir** (they) discussed
discutir to discuss

el **disgusto** annoyance, unpleasantness, displeasure, disappointment
disimular to conceal
disparar to shoot, to fire
dispare *form. s. command of* **disparar** shoot!
el **disparo** shot
disponer to dispose, to order
disponerse to get ready
dispuso *3rd s. pret. of* **disponer** (he) ordered
la **disputa** dispute
la **distancia** distance
distinguido, –a distinguished
distinto, –a different
distraerse to amuse oneself
la **diversión** amusement
divertido, –a amusing
divertirse (ie) to amuse oneself, to have a good time
se **divierten** *3rd pl. pres. ind. of* **divertirse** (they) amuse themselves
doblado, –a folded
doblar to bend
doce twelve; **a los — años** at twelve years of age; **a las — y media** at 12:30 o'clock; **las — menos cuarto** quarter before twelve; **dar las —** to strike twelve o'clock
la **docena** dozen
el **doctor** doctor
el **dólar** dollar
el **dolor** grief, pain
doloroso, –a mournful
dominar to rise above
Domingo *pr. n.* Dominic
el **domingo** Sunday; **los —** on Sundays
don *untranslatable title used before given name of a man*
la **doncella** maid
donde where; **de —** from where, whence; **en —** where
¿dónde? where?; **¿a —?** where? whither?
doña *untranslatable title used before a woman's given name*
dorado, –a gilt, gilded
dormido, –a asleep
dormir (ue) to sleep
dormirse (ue) to go to sleep
dormitar to doze
dos two; **los —** both; **a la una, a las —** *counting* one, two . . .
doy *1st s. pres. ind. of* **dar** I give; **se lo —** I'll give it to you
el **drama** drama
la **duda** doubt; **sin —** doubtless
dudar (de) to doubt
el **dueño** proprietor, owner
dulce sweet
el **dulce** sweet, candy
dulcemente sweetly
duplicado, –a duplicate
durante during
durar to last
se **durmió** *3rd s. pret. of* **dormirse** (he) fell asleep
duro, –a hard
el **duro** *Spanish coin worth five pesetas or twenty reales*

E

e and
ea *an expression of determination* so there!
el **eco** echo
la **economía** economy, political economy
económico, –a economical, saving

echar to throw, to shoot; **echar a** + *inf.* to begin to; — **chispas** to be very angry; — **a un rincón** to discard
Echerry *pr. n.*
Echizárraga *pr. n.*
la **edad** age; **¿qué — tenía?** how old was he?
el **efecto** effect; **en —** in fact
eh oh
¿eh? eh? isn't he? haven't you?
el **ejemplar** copy (of a book)
el. **ejemplo** example
ejercer to exercise
el *m. def. art.* the; *substitute for possessive adjective with parts of body or articles of clothing*
el *dem. pr.* that, he
él he, it; him
el cual, la cual, los cuales, las cuales which
el que the one that, he who
elaborar to elaborate
la **elegancia** elegance
Elena *pr. n.* Helen
Elías *pr. n.*
ella she, it; her
ellas they; them
ello it
ellos they; them
la **embarcación** boat
embargo: sin — nevertheless
Emilio *pr. n.* Emil
eminente eminent
empecé *1st s. pret. of* **empezar** I began
empezar (ie) to begin
empezaron *3rd pl. pret. of* **empezar** (they) began
empezó *3rd s. pret. of* **empezar** (he) began
empieza *3rd s. pret. ind. of* **empezar** (he) begins
el **empleado** employee
empleando *pres. p. of* **emplear** (by) employing
emplear to employ
en in, at, on, for, of, by, to
enamorado, -a (de) enamoured, in love (with)
enamorarse (de) to fall in love (with)
el **encanto** enchantment
encargado, -a charged
Encarnación *pr. n.*
encender (ie) to light
encendido, -a lighted, burning
encerrar (ie) to lock up
encienda *form. s. command of* **encender** light!
enciende *3rd s. pres. ind. of* **encender** (he) lights
encima above, on top; — **de** on; **por — de** over
encontraba *3rd s. impfct. ind. of* **encontrar** (he) met
encontrar (ue) to find, to meet
encontrarse (ue) (con) to meet, find, to be
encuentro *1st s. pres. ind. of* **encontrar** I find; **me —** I find
endurecer to harden
el **enemigo** enemy
la **energía** energy; **con —** forcefully
el **enero** January
enfadarse to become angry
enfades: no te — *neg. fam. s. command of* **enfadarse** don't become angry
la **enfermera** nurse
enfermo, -a sick, ill

el **enfermo** invalid, patient
enfilar to pierce a line
enfrente opposite
engañar to deceive
engañarse to be mistaken
enseñe *1st s. pres. subj. of* **engañar** you deceive
el **engaño** deceit, deception
enorme enormous, huge
Enrique *pr. n.* Henry
enseñar to teach, to show
enseñe *1st s. pres. subj. of* **enseñar**: **¿quieres que te enseñe . . . ?** do you want me to teach you . . . ?
ensuciarse to get dirty
entender (ie) to understand
entendió *3rd s. pret. of* **entender** (he) understood
entero, –a whole, entire
enterrado, –a buried
enterrar (ie) to bury
entiendes *2nd s. pres. ind. of* **entender** you (*fam.*) understand
entonces then, that time
entra (en) *3rd s. pres. ind. of* **entrar** (he) enters
la **entrada** entrance
entrar to enter, to go in; **— en** to enter; **al —** upon entering
entre among, amongst, between; **por —** through; **— sí** to each other
entregar to hand over, to deliver
entretanto meanwhile
entro *1st s. pres. ind. of* **entrar** I enter, I shall enter
entró (en) *3rd s. pret. of* **entrar** (he) entered
entusiasmado, –a enthusiastic, enthusiastically
entusiasmarse to become enthusiastic
el **entusiasmo** enthusiasm
entusiasta enthusiastic
enviar to send
enviaron *3rd pl. pret. of* **enviar** (they) sent
la **envidia** envy; **tener — a** to envy
Epaminondas *pr. n.*
la **época** epoch, time
el **equilibrio** equilibrium, balance
equivocarse to be mistaken
era *3rd s. impfct. ind. of* **ser** (he) was
eran *3rd pl. impfct. ind. of* **ser** (they) were; **— de** belonged to
eres *2nd s. pres. ind. of* **ser** you (*fam.*) are; **¿— tú?** is it you?
el **error** error
es *3rd s. pres. ind. of* **ser** (he) is; **— que** the fact is that
ésa *see* **ése**
la **escalera** stairs
escandaloso, –a scandalous
escapar to escape
escaparse to escape, to run away, to elope
escasísimo, –a very dim
escaso, –a dim, scarce
la **escena** scene
el **escepticismo** doubt
escoger to choose, to select
escogió *3rd s. pret. of* **escoger** (he) chose, selected
esconde *3rd s. pres. ind. of* **esconder** (he) hides
esconder to hide
Escorial *town 51 km. northwest of Madrid, noted as seat of famous monastery*
escribir to write

escribiré *1st s. future of* **escribir** I shall write
escrito, -a written
el **escritorio** desk
escrupuloso, -a scrupulous
escucha *3rd s. pres. ind. of* **escuchar** (he) listens
escucha *fam. s. command of* **escuchar** listen!
escuchan *3rd pl. pres. ind. of* **escuchar** (they) listen
escuchar to listen (to)
escuche *form. s. command of* **escuchar** listen!; **escúcheme** listen to me!
la **escuela** school
ese, esa that; *pl.* **esos, esas** those
ése, ésa that, that one; *pl.* **ésos, ésas** those
la **ese** the letter *s*
lo **esencial** what is essential
el **esfuerzo** effort
eso that, so; **eso es** that's it; **por eso** therefore, for that reason
Esopo *pr. n.* Æsop
espantado, -a frightened
espantoso, -a frightful, horrible
España Spain
español, -a Spanish
el **español** Spaniard
especial: en — especially
especialmente especially
la **especie** species
el **espectáculo** spectacle
el **espectro** spectre
espera *fam. s. command of* **esperar** wait!
la **esperanza** hope
esperar to wait (for), to expect, to await; **sin —** without waiting
Espina, Concha (1878-) *novelist of northern Spain; foremost Spanish woman writer*
el **espíritu** spirit
el **esplendor** splendor
la **esposa** wife
el **esposo** husband; *pl.* husband and wife
esta, ésta *see* **este, éste**
está *3rd s. pres. ind. of* **estar** (he) is, you are; **— bien** all right; **¿— el señor cura?** is his reverence at home? **ya —** all right now, here we are
estaba *1st and 3rd s. impfct. ind. of* **estar** I (he) was
estaban *3rd pl. impfct. ind. of* **estar** (they) were
establecer to establish
el **establecimiento** establishment
el **establo** stable
la **estación** station; **jefe de —** station master
el **estado** state, condition
estamos *1st pl. pres. ind. of* **estar** we are
están *3rd pl. pres. ind. of* **estar** (they) are
el **estante** bookshelf
estar to be, to be there; **— por** to be ready to; **estando de pie** while standing
estás *2nd s. pres. ind. of* **estar** you (*fam.*) are
este, esta this; *pl.* **estos, estas** these
éste, ésta this, this one, the latter, this fellow; *pl.* **éstos, éstas** these; **éste no lo tengo** I don't have this one
esto this
el **estómago** stomach

el **estornudo** sneeze
estoy *1st s. pres. ind. of* **estar** I am
estrangular to strangle
la **estrategia** strategy
la **estrella** star
el **estudiante** student
estudiar to study
estudie *form. s. command of* **estudiar** study!
el **estudio** study
estuve *1st s. pret. of* **estar** I was
estuvo *3rd s. pret. of* **estar** (he) was, stood
etc. *abbreviation of* **et cétera** and so forth
Eugenio *pr. n.* Eugene
europeo, –a European
evadir to evade
evitar to avoid, to prevent
exactamente exactly
exacto, –a exact
exagerado, –a exaggerated
exagerar to exaggerate
la **exaltación** exaltation
el **examen** examination
examinaba *3rd s. impfct. ind. of* **examinar** (he) examined
examinar to examine; **examinarlo = examinar + lo** to examine it
examinó *3rd s. pret. of* **examinar** (he) examined
la **excavación** excavation
excavar to excavate
excelente excellent
excelentísimo, –a most excellent; His Excellency
excepto except
excesivo, –a excessive
excitado, –a excited
exclama *3rd s. pres. ind. of* **exclamar** (he) exclaims
la **exclamación** exclamation
exclamar to exclaim
la **excusa** excuse
exhausto, –a exhausted
exigir to exact, require
la **existencia** existence
el **éxito** success
experimentó *3rd s. pret. of* **experimentar** (he) experienced
explica *3rd s. pres. ind. of* **explicar** (he) explains
la **explicación** explanation
explican *3rd pl. pres. ind. of* **explicar** (they) explain
explicar to explain
explicarse to explain to oneself, to be explained, to justify oneself
explico *1st s. pres. ind. of* **explicarse: no me lo —** I can't explain it to myself
explíquese *form. s. command of* **explicarse** explain yourself!
explotar to exploit
la **exposición** exposition
la **expresión** expression
extender (ie) to extend, to hold out
extienda *form. s. command of* **extender** extend! hold out!
extinguirse to be extinguished, to die away
extranjero, –a foreign
extraño, –a strange
extraordinario, –a extraordinary
extravagante extravagant, queer, exaggerated; **el —** extravagant fellow
el **extremo** extreme, end, point; **en —** extremely; **en su —** at the end of it

F

la **fabulilla** little fable
fácil easy
fácilmente easily
falso, –a falsetto, false
la **falta** error, mistake, lack, fault
faltar to lack, to be missing, to fail
faltaría *3rd s. cond. of* **faltar: no me — nada** I should lack nothing
faltase *3rd s. impfct. subj. of* **faltar: quería que no le faltase nada** I didn't want her to lack anything
la **familia** family
famoso, –a renowned, famous, noted, notorious
el **fantasma** ghost
fantástico, –a fantastic
la **farsa** farce, joke, pretense
fatal fatal
la **fatiga** fatigue, toil
el **favor** favor; **por —** please
favorecer to favor
favorito, –a favorite
el **favorito** favorite
fecundo, –a fertile, fecund
felices *see* **feliz**
la **felicidad** happiness
feliz *pl.* **felices** happy
femenino, –a feminine
el **fenómeno** phenomenon
feo, –a ugly
feroz *pl.* **feroces** fierce
el **ferrocarril** railroad
la **fiebre** fever
fielmente faithfully
la **fiera** wild beast
la **fiesta** festival
la **figura** figure
figurar to figure
figurarse to imagine
figúrese *form. s. command of* **figurarse** imagine!
fijamente fixedly
fijar to fix
fijarse (en) to notice
fíjate *fam. s. command of* **fijarse** notice!
fíjese *form. s. command of* **fijarse** notice!
fijo, –a fixed
la **fila** row
las **Filipinas** Philippines
el **fin** end, goal; **al —** finally, at last, after all; **por —** finally; **en —** in short, after all
el **final** end
Finita *pr. n. dim. of* **Josefina** Jo
fino, –a fine
firme firm, stable, firmly
flaco, –a thin
la **flauta** flute
flautista flute-playing
el **fleco** fringe
flexible flexible
la **flor** flower
el **florín** florin
la **fonda** inn
el **fondo** bottom, background; *pl.* funds
el **forastero** outsider, stranger
la **forma** form, shape
formaban *3rd pl. impfct. ind. of* **formar** (they) formed
la **formación** formation
formalizar to formalize
forman *3rd pl. pres. ind. of* **formar** (they) form
formar to form
el **forro** lining
la **fortaleza** fortress
la **fortuna** fortune, luck
forzado, –a forced
el **fósforo** match

el **fragmento** fragment
francés, -a French
el **francés** French, Frenchman
Francisco Francis
la **franqueza** frankness
la **frase** sentence
Fray *title given to a friar* Friar, Father
la **frecuencia: con —** frequently
la **frente** forehead
frente a face to face with, in front of; **de —** face to face; **en —** in front
fresco, -a fresh, cool
frío, -a cold
el **frío** cold; **¿tiene Vd. —?** are you cold?
la **frontera** frontier, border
la **fruta** fruit
fué *3rd s. pret. of* **ir** (he) went
fué *3rd s. pret. of* **ser** (he) was, it happened
se **fué** *3rd s. pret. of* **irse** (he) went away
el **fuego** fire, light
la **fuente** fountain, spring
Fuentes *pr. n.*
fuera out, outside; **¡—!** get out!; **fuera de** out of; **por —** on the outside
fuera *1st and 3rd s. impfct. subj. of* **ser: como si —** as if I were
fueron *3rd pl. pret. of* **ir** (they) went
fueron *3rd pl. pret. of* **ser** (they) were
fuerte strong, hard, severe
la **fuerza** strength
fuése *see* **se fué**
fugitivo, -a fugitive
fuí *1st s. pret. of* **ir** I went
me **fuí** *1st s. pret. of* **irse** I went away
fuimos *1st pl. pret. of* **ser** we were
fuiste *2nd s. pret. of* **ir** you (*fam.*) went
la **furia** fury; **con —** furiously
furioso, -a furious, furiously
el **fusil** gun
futuro, -a future

G

el **gabán** overcoat
el **galán** gallant
Galana *pr. n.*
la **galantería** gallant words; **decir —** to pay compliments
la **galería** gallery (of a mine)
el **galgo** greyhound
la **gallega** woman of Galicia, *province in northwestern Spain*
la **gallina** hen
la **gana** wish, desire; **me dan —s de** I feel like; **lo que le da la —** what he wishes
ganaba *3rd s. impfct. ind. of* **ganar** (she) earned
ganamos *1st pl. pret. of* **ganar** we won
ganar to earn, to win
ganarse to earn
gané *1st s. pret. of* **ganar** I won
García Calderón, Ventura *contemporary Peruvian journalist, critic and short story writer*
la **garganta** throat
Garrido Merino, Edgardo *contemporary Chilean author*
el **gas** gas
gastado, -a worn
gastar to spend
el **gasto** expense, expenditure

el **gaucho** gaucho, Argentine cowboy
el **gemido** moan, groan
el **general** general; **mi —** general
el **Generalito** *dim. of* **general** little general
generalmente generally
la **generosidad** generosity
generoso, -a generous
el **genio** temper
la **gente** people
genuino, -a genuine
el **gerente** manager
Gerona *pr. n.*
gesticular to gesticulate
la **gimnasia** gymnastics
el **gitano** gypsy
la **gloria** glory
el **gobernador** governor
el **gobierno** government
el **golpazo** *aug. of* **golpe** great blow
el **golpe** blow, bump, clatter; **a golpes** with blows; **cerrar de —** to slam; **— de agua** surge of water, wave
golpear to strike, beat
González *pr. n.*
gozar (de) to enjoy
el **gozo** pleasure
la **gracia: con —** pleasantly
gracias thank you; **dar las —** to thank
gracioso, -a pleasing
la **gramática** grammar
gramatical grammatical
gran *apocopated form of* **grande** great, large, big
Granada *city in southern Spain, location of the Alhambra*
grande great, big, large, loud
la **gratitud** gratitude
grave serious
Gregorio Gregory
grita *3rd s. pres. ind. of* **gritar** (he) shouts, cries out
gritar to shout, cry out, to call out, to cry
grite *form. s. command of* **gritar** cry out! shout!
griten *form. pl. command of* **gritar** cry out!
el **grito** shout, cry; **dar un —** to cry out; **dando —s** crying out
gritó *3rd s. pret. of* **gritar** (he) cried out, shouted
grotesco, -a grotesque
grueso, -a thick, heavy
el **grupo** group
la **gruta** cavern
guapito, -a *dim. of* **guapo** pretty, cute
guapo, -a handsome, pretty
guardar to put away, keep; **— silencio** to remain silent
el **guardia** police; **la — civil** *branch of police stationed in rural and outlying districts;* **el — civil** *member of the above organization*
la **guerra** war
el **guía** guide
Güiraldes, Ricardo (1886-1927) *Argentine novelist and poet, author of a famous gaucho novel* Don Segundo Sombra
la **guitarra** guitar
gusta *3rd s. pres. ind. of* **gustar** to be pleasing, to like; **me —** I like; **¿ Vd. —?** would you like some?
gustar to be pleasing, to like
gustó *3rd s. pret. of* **gustar; le —** he liked
el **gusto** taste
Gutiérrez de la Fuente *pr. n.*

H

ha *3rd s. pres. ind. of* **haber** (he) has
haber *auxiliary* to have; *used impersonally* to be; — **sol** to be sunny; **¿qué ha de ser?** what do you suppose it is? what should it be? **haber de** + *inf.* must, to have to; **haber que** + *inf.* to be necessary
había *3rd s. impfct. ind. of* **haber** (he) had, there was, there were; — **que** + *inf.* it was necessary . . .
habían *3rd pl. impfct. ind. of* **haber** (they) had
la **habitación** room
el **habitante** inhabitant
habla *3rd s. pres. ind. of* **hablar** (he) speaks, talks
hablaban *3rd pl. impfct. ind. of* **hablar** (they) were talking, speaking
hablamos *1st pl. pret. of* **hablar** we spoke
hablando *pres. p. of* **hablar** speaking, talking
hablar to talk, to speak; **al —le yo** when I spoke to him
hablaré *1st s. fut. ind. of* **hablar** I shall speak
hablen *form. pl. command of* **hablar** speak!
habrá *3rd s. fut. ind. of* **haber** (he) will have; **¿qué — visto?** what can he have seen?
habrán *3rd pl. fut. ind. of* **haber** they will have
habría *3rd s. cond. of* **haber** (he) would have, there would be
hace *3rd s. pres. ind. of* **hacer** (he) makes, does; ago; — **dos años (seis meses)** two years (six months) ago; — **cinco años que hallo** I have been finding for five years
hacemos *1st pl. pres. ind. of* **hacer** (we), make, celebrate
hacen *3rd pl. pres. ind. of* **hacer** (they) make, do
hacer to do, to make, to celebrate; **hacerle** = **hacer** + **le**; **¿qué —?** what should I (he) do?; **hacía calor** it was hot; **con el calor que hacía** with the hot weather; **hace mucho tiempo (rato) que** it was a long time since; **hacía tres años que buscaban** they had been looking for three years for; **hacía dos años que trabajábamos** we had been working for two years; — **una pregunta** to ask a question; **hacerle una operación** to operate on him
hacerse to become; — **el inocente** to pretend to be innocent
haces *2nd s. pres. ind. of* **hacer** you (*fam.*) do, are doing
hacia toward; — **abajo** down; — **arriba** up
se **hacía** *3rd s. impfct. ind. of* **hacerse** (it) became
la **hacienda** estate
haga *form. s. command of* **hacer** do!; **haga Vd. el favor de** please; **hágale Vd. venir** send for him
hago *1st s. pres. ind. of* **hacer** I do; **no le — mal a nadie** I harm no one

hallar to find
hallarse to be
el **hambre** (*f.*) hunger
han *3rd pl. pres. ind. of* **haber** (they) have
haré *1st s. fut. ind. of* **hacer** I shall do
haría *3rd s. cond. of* **hacer** (he) would make
has *2nd s. pres. ind. of* **haber** you (*fam.*) have
hasta even, until, to, as far as; — **que** until
Hawaí Hawaii
hay *3rd s. pres. ind. of* **haber** there is, there are; **¿qué hay?** what is the matter?; **hay que** + *inf.* it is necessary to . . . , one must . . . ; **¡hay que verla!** you ought to see her! **no hay más remedio** there is no help for it
haya *pres. subj. of* **haber** there is
he *1st s. pres. ind. of* **haber** I have
hecho *p. p. of* **hacer** done, made; **bien hecha** well built
el **hecho** fact, deed, event
hemos *1st pl. pres. ind. of* **haber** we have
el **hermano** brother
hermoso, –a beautiful, handsome; **lo —a que era** how beautiful she was
Hernández, Ricardo *Contemporary author of Uruguay*
el **héroe** hero
hice *1st s. pret. of* **hacer** I made, I did
hicieron *3rd pl. pret. of* **hacer** they made, did; **se** — were made; — **el efecto** they had the effect
la **hierba** grass; *pl.* rushes
el **hierro** iron
la **hija** daughter
el **hijo** son, boy; *pl.* children; — **mío** my boy
la **historia** history, story
el **historiador** historian
histórico, –a historical
hizo *3rd s. pret. of* **hacer** (he) did, made; — **venir a un secretario** he had a secretary come; — **venir a los criados** he had the servants come; **se** — was made
el **hogar** home, hearth
la **hoja** page, leaf
hojear to page
¡hola! hello!
el **holgazán** idler
el **hombre** man
el **hombrecillo** little man
el **hombrecito** little man
el **hombrón** big man, husky fellow
honesto, –a respectable
el **honor** honor
la **honradez** honesty
honrado, –a honest
la **hora** hour, time; **a esas —s** at that time; **a estas —s** at this hour; — **de comer** dinner hour
horrible horrible
el **horror** horror
el **hospital** hospital
hostil hostile
el **hotel** hotel
hoy today
el **hoyito** dimple
hubiese *impfct. subj. of impersonal* **haber** there might be, would be

hubo *pret. of impersonal* **haber** there was, there were; — **más** that wasn't all
el **huevo** egg; — **pasado por agua** soft boiled egg
huir to flee
humanitario, –a humanitarian
humano, –a human
la **humildad** humility; **con** — humbly
el **humor** humor
hundirse to sink
huyendo *pres. p. of* **huir** fleeing
huyeron *3rd pl. pret. of* **huir** (they) fled
huyó *3rd s. pret. of* **huir** (he) fled

I

iba *1st and 3rd s. impfct. ind. of* **ir** (he, I) was going, was, kept on; **¡quién — a pensar!** who would have thought!
íbamos *1st pl. impfct. ind. of* **ir** we used to go
iban *3rd pl. impfct. ind. of* **ir** (they) went, were
ibas *2nd s. impfct. ind. of* **ir** you (*fam.*) were going
la **idea** idea, opinion
el **ideal** ideal
el **idilio** idyl
la **iglesia** church
el **ignorante** ignoramus
ignorar not to know, to be ignorant of; **¿ignoras que es . . . ?** don't you know that he is . . . ?
igual the same, alike, equal; **cosa** — anything like it
la **igualdad** similarity
Ildefonso *pr. n.*
Ildurito *pr. n.*
iluminar illuminate, to light up
la **ilusión** illusion
la **imagen** image
imaginar to imagine
el **imbécil** imbecile, idiot
la **impaciencia** impatience
impaciente impatient
imperdonable unpardonable
el **imperio** empire
importa *3rd s. pres. ind. of* **importar: no** — it doesn't matter; **poco** — it doesn't matter much
la **importancia** importance
importante important
importar to matter
imposible impossible
el **impulso** impulse
la **impureza** impurity
la **incapacidad** lack of ability
incapaz incapable, unable
los **Incas** Incas, *rulers of Peru before the Spanish conquest*
el **incidente** incident
incitar to incite, to urge
inclinarse to bend (down)
incluido, –a included
incluye *3rd s. pres. ind. of* **incluir** it includes
inculto, –a uneducated, uncultivated
indeciso, –a undecided
indicando *pres. p. of* **indicar: indicándoselos** = **indicando** + **se** + **los** pointing them out to him
indicar to point out, to indicate
la **indiferencia** indifference
indio, –a Indian
el **indio** Indian

el **individuo** individual, person, fellow
indudablemente undoubtedly
Inés *pr. n.* Agnes
infantil childish, infantile
infeliz unhappy
el **infeliz** (*pl.* **infelices**) unfortunate man, unhappy man
la **infeliz** unfortunate woman
inferior inferior
el **infierno** hell, inferno
inflexible unyielding
la **información** information, report
informado, –a informed
informal unreliable, unconventional
informar to inform
informó *3rd s. pret. of* **informar** (he) informed
el **ingeniero** engineer
Inglaterra *pr. n.* England
inglés, –a English
la **injusticia** injustice
inmediatamente immediately
inmenso, –a immense
inocente innocent
el **inocente** innocent person; **hacerse el —** to pretend to be innocent; **día de los —** December 28, *corresponding in character to our April Fool's Day*
el **inofensivo** harmless man, inoffensive man
la **inquietud** uneasiness
la **insignificancia** insignificant thing
insignificante insignificant
insinuar to insinuate, to hint
la **insistencia** persistence
insistir to insist
insoportable unbearable
inspirar to inspire
instalado *p. p. of* **instalar** installed
instalar to install
el **instante** instant
la **instrucción** instruction
el **instrumento** instrument
intacto, –a intact
la **inteligencia** intelligence
inteligente intelligent
la **intención** intention
intentar to try
el **intercambio** interchange
el **interés** interest
interesar to interest
interesarse (por) to take an interest (in)
el **interior** interior, inside, mind
la **interjección** interjection
internacional international
interrumpió *3rd s. pret. of* **interrumpir** (he) interrupted
interrumpir to interrupt
intervenir intervene
íntimo, –a intimate, personal
intrigado, –a intrigued
inundar to flood
inundaría *3rd s. cond. of* **inundar** (it) would flood
inútil useless
inválido, –a invalid
invariablemente invariably
la **invención** invention
inventar to invent
invertido, –a invested
invertir (ie) to invest
la **investigación** investigation
el **invierno** winter
invirtió *3rd s. pret. of* **invertir** (he) invested
invisible invisible
invitar to invite
ir to go; *used as a substitute for* **estar** *in progressive tenses*

la **ira** wrath, anger, ire
irás *2nd s. fut. ind. of* **ir** you (*fam.*) will go
iremos *1st pl. fut. ind. of* **ir** we shall go
Irene *pr. n.*
Iriarte, Tomás de (1750-1791) *neoclassic poet and critic of Spain*
la **ironía** irony
irónico, –a ironical
irresistible irresistible
irritado, –a irritated, angry, angrily
Isabel *pr. n.*
izquierdo, –a left

J

el **jarrón** *aug. of* **jarro** large jar
el **jefe** chief; — **de estación** station master
¡Jesús! heavens!; **¡—, María y José!** Heavens above!
Joaquín *pr. n.*
el **jorobado** hunchback
José Joseph
joven young
el **joven** young man, youth
la **joven** girl, young woman, young one
jovencito, –a very young
jovial jovial
Juan *pr. n.* John; **don Juan** lady killer, *literary character noted for his deception of women*
Juana *pr. n.* Jane
Juancho *pr. n.*
el **juez** judge
jugar (ue) to play, to gamble
juguetón, –a playful
Juliana *pr. n.*
el **junio** June
junto a near
justamente exactly
la **justicia** justice
justo, –a right, just, exact, exactly
la **juventud** youth

K

el **kümmel** kümmel, a strong alcoholic beverage

L

la *f. def. art.* the; *replaces possessive adjective with parts of body and articles of clothing; used familiarly with names*
la her, it
el **laberinto** labyrinth
el **labio** lip
el **laboratorio** laboratory
el **lado** side; **al — de** beside
el **ladrón** thief
La Fuente *pr. n.*
la **lágrima** tear; **entre — y —** between tears
la **laguna** lagoon
la **lámpara** lamp
lanzar to hurl, to give
lanzarse to go ahead, to launch oneself, to throw oneself
largo, –a long
Larra, Mariano José de (1809-1837) *Brilliant satirist, author of a series of essays on Spanish life. Wrote under pseudonym of* Fígaro
las *f. pl. def. art.* the
las them
la **lástima** pity

la **lata** can, tin
Laurita *dim. of* Laura
Lazarillo *pr. n. dim. of* Lázaro; **Lazarillo de Tormes**, *a rogue novel published in 1554*
le to him, him, from him, you, her, at him
lea *form. s. command of* **leer** read!
la **lección** lesson
la **lectura** reading
la **lechuza** owl
leer to read
legítimo, –a legitimate
la **legumbre** vegetable
leído *p. p. of* **leer** read
lejano, –a distant
lejos far, afar; **a lo —** in the distance
el **lenguaje** language
lentamente slowly
lento, –a slow, slowly
les to them
la **letra** letter, handwriting; **sabe de —s y pluma** can read and write
levanta *3rd s. pres. ind. of* **levantar** (he) raises
se **levanta** *3rd s. pres. ind. of* **levantarse** (he) gets up
levantar to raise
se **levantaron** *3rd pl. pret. of* **levantarse** (they) got up
levantarse to get up
la **leyenda** legend
leyendo *pres. p. of* **leer** reading
leyó *3rd s. pret. of* **leer** he read
Liberia *pr. n. negro republic on western coast of Africa*
la **libertad** liberty
libre free
la **librería** book shop
el **librero** book seller
el **libro** book
el **lienzo** canvas
ligeramente slightly
Lima *pr. n. capital of Peru*
la **limosna** alms
limpiar to clean
limpio, –a clean
lindísimo, –a very beautiful
la **línea** line
Linneo: Karl von Linnaeus (1707-1778) *famous Swedish naturalist*
la **linterna** lantern
el **litro** liter
liviano, –a light
lo *neuter art.* the
lo it, him, so; **si lo son** if they are
lo cual which
lo que what, whatever, that which, how much; **de lo que** than
la **loca** mad woman
loco, –a mad, insane
el **loco** madman, maniac, lunatic
la **locomotora** locomotive, engine
la **locura** insane act, insanity
el **lomo** back; **a — de mula** on mule back
López *pr. n.*
Lora *pr. n.*
los *m. pl. def. art.* the; *see* **el**
los those
los them, you
los que those who
Lucía *pr. n.* Lucy
la **lucha** fight, struggle
luchado *p. p. of* **luchar** fought
luchar to struggle, fight
luego then, therefore; **— que** as soon as

el **lugar** place, town
Luis XIII king of France
el **luis** louis, a French coin
el **lujo** luxury
la **luna** moon
el **lunar** mole
Luz *pr. n.*
la **luz** (*pl.* **luces**) light

LL

llama *3rd s. pres. ind. of* **llamar** (he) calls
llama *fam. s. command of* **llamar** call!
llamábamos *1st pl. impfct. ind. of* **llamar** we used to call
llamaban *3rd pl. impfct. ind. of* **llamar** (they) called
llamado, –a named, called
llamar to call; **— a gritos** to shout, to call loudly
llame *form. s. command of* **llamar** call!
llamó *3rd s. pret. of* **llamar** (he) called
Llano *pr. n.*
llega *3rd. s. pres. ind. of* **llegar** (he) arrives, you arrive
la **llegada** arrival
llegar (a) to arrive (at), to get, to come; **llegada la noche** when night had fallen; **al —** on arriving; **— a tal extremo** to go so far
llegaron *3rd pl. pret. of* **llegar** (they) arrived
llegó (a) *3rd s. pret. of* **llegar** (he) arrived; (it) reached
llegué *1st s. pret. of* **llegar** I arrived
llenar to fill
lleno, –a full, filled
lleva *3rd s. pres. ind. of* **llevar** (he) carries, takes; **— consigo** he takes along
llevar to carry, to take
llevarse to carry away, to take along
se **llevasen** *3rd pl. impfct. subj. of* **llevarse: ordenaba que se llevasen** ordered that they should be taken
llévense *indirect pl. command of* **llevarse** let them take
se **llevó** *3rd s. pret. of* **llevarse** (he) carried off, took
llorar to cry, weep, to weep over
la **lluvia** rain, shower

M

machacar to crush
la **madera** wood
la **madre** mother
Madrid *pr. n. capital of Spain, located in the center of the Spanish peninsula*
la **madriguera** den
madrugar to get up early
magnífico, –a magnificent
la **majestad** majesty; **Su Majestad** Your Majesty
mal badly, bad; **de — en peor** from bad to worse
el **mal** harm
maldito, –a cursed
el **maldito** cursed wretch
el **malestar** uneasiness, discomfort, suffering
malito, –a *dim. of* **malo** bad
malo, –a bad, evil
lo **malo** bad thing
el **malvado** fiend
la **mamá** mother

la **mancha** spot
manda *fam. s. command of* **mandar** send!
mandar to send
el **manejo** management, manipulation
la **manera** manner, way; **de esa —** in that way; **de una — positiva** in a positive manner; **a su —** in his own way; **de — que** so (that)
la **manga** sleeve; **en —s de camisa** in shirt sleeves
la **manía** mania
la **mano** hand
el **mantel** tablecloth
mantener to maintain, to hold
Manuel *pr. n.*
mañana tomorrow
la **mañana** morning; **todas las —s** every morning; **por la —** in the morning
el **mar** sea
el **marco** frame
la **marcha**: **ir en —** to be under way
marcharse to go away, leave
María Mary; *may be used with* **José** *as boy's name*
Martín *pr. n.* Martin
Martínez *pr. n.*
el **mártir** martyr
el **martirio** torture, martyrdom
el **marzo** March
más more, any more, farther, most; **no . . . — que** only; **— bien** rather
Masdeu *pr. n.*
la **mata** bush
matado *p. p. of* **matar** killed
matamos *1st pl. pres. ind. of* **matar** we kill, shall kill
matar to kill; **matarlo** = **matar** + **lo**
mate *3rd s. pres. subj. of* **matar**: **no quiero que me — Parrón** I don't want Parrón to kill me
mato *1st s. pres. ind. of* **matar** I kill, shall kill
el **matrimonio** marriage, nuptials; married couple
mayor *comp. of* **grande** greater, older; *superlative* greatest
el **mayordomo** steward, majordomo
me me, to me, of me, from me, myself, for myself
Medero *pr. n.*
el **médico** physician
medio, –a half; **a las diez y —** at half past ten
el **medio** means; **en — de** in the midst of; **por — de** by means of
meditar to meditate
meditase *3rd s. impfct. subj. of* **meditar**: **como si meditase** as if he were meditating
mejicano, –a Mexican
la **mejilla** cheek
mejor *comp. and superlative of* **bien** *and* **bueno** better, best
la **melancolía** melancholy
melancólico, –a melancholy
Melitón *pr. n.*
el **melocotón** peach
la **memoria** memory
la **mención** mention
mencionaba *3rd s. impfct. ind. of* **mencionar** (you) mentioned
mencionar to mention
el **mendigo** beggar
Menéndez *pr. n.*
menor least, younger, youngest
menos less, except, least;

por lo — at least; — de less than
mental mental
la mente mind
mentir to lie
menudo: a — often
merecer to deserve
el mes month; el — que viene next month
la mesa table, desk; — de trabajo work table
metálico, –a metallic
meter to put, to put in, to put under, to put down
meterse (en) to get (into)
metódico, –a methodical
el metro meter
mezclado, –a mixed
mi my
mí me
el miedo fear; tener — to be afraid
el miembro member
mientras while
mil thousand
el milagro miracle
militar military
el militar soldier, military man
el millonario millionaire
la mina mine; — de oro gold mine
el mineral mineral
minero, –a mining
el minero miner
el ministerio ministry
el ministro minister
el minuto minute
mío, –a my, of mine; el — mine
mira *3rd s. pres. ind. of* mirar (he) looks (at)
mira *fam. s. command of* mirar look!
miraba *3rd s. impfct. ind. of* mirar (he) looked at
la mirada look, glance; — como no hay otra matchless look
mirando *pres. p. of* mirar looking at; mirándole = mirando + le looking at him
mirar to look (at)
miraron *3rd pl. pret. of* mirar (they) looked at
mire *form. s. command of* mirar look! look here!; mírelo = mire + lo look at it!
no mires *neg. fam. command of* mirar don't look!
miro *1st s. pres. ind. of* mirar I look at
miró *3rd s. pret. of* mirar (he) looked at
mismo, –a same, self, myself himself, herself, itself, very; lo — the same
misterioso, –a mysterious
la mitad half, middle
la moda fashion
el modelo model
moderno, –a modern
modesto, –a modest
el modo way; de todos —s anyway
molestado *p. p. of* molestar bothered
molestar to bother
el momento moment; en esos —s at that moment
la momia mummy
el monasterio monastery
mondar to peel
la moneda coin, money
monetario, –a monetary, financial
la monja nun
el mono monkey
monótono, –a monotonous
el monstruo monster
la montaña mountain

el **monte** mountain
Montevideo *pr. n. capital of Uruguay*
Montijo *pr. n.*
el **montón** pile, stack
moral moral
morder to bite
la **morena** brunette
moreno, –a dark, brunet
morir (ue) to die
morirse (ue) to die
mortal mortal
el **mostrador** counter
mostrar (ue) to show, to point; **mostrarte** = **mostrar** + **te** to show you
el **motivo** reason; **con — de** because of
mover (ue) to move, to shake
moverse (ue) to move, to budge
movido, –a moved
el **movimiento** movement
se **movió** *3rd s. pret. of* **moverse** (it) moved
el **mozo** boy, youth, waiter
la **muchacha** girl
la **muchachita** little girl
el **muchacho** boy, youth
la **muchedumbre** crowd
muchísimo, –a very much
mucho, –a much, a great deal; *pl.* many
mudo, –a mute, dumb
me **muero** *1st s. pres. ind. of* **morirse** I am dying
la **muerte** death
muerto *p. p. of* **morir** died, killed
muerto, –a dead
el **muerto** dead man; *pl.* the dead
la **muestra** sign
mueve *3rd s. pres. ind. of* **mover** (he) shakes
se **mueve** *3rd s. pres. ind. of* **moverse** (he) moves
la **mujer** woman, wife, dear
la **mula** mule
la **multitud** multitude
el **mundo** world; **todo el —** everyone
murió *3rd s. pret. of* **morir** (he) died
se **murió** *3rd s. pret. of* **morirse** (he) died
murmuraban *3rd pl. impfct. ind. of* **murmurar** (they) were gossiping
murmurar to gossip, to murmur
el **músculo** muscle
el **museo** museum
muy very, very much

N

nacer to be born
la **nación** nation
nada nothing, anything, no response; **¡nada!** why!; **¡nada, nada!** that's enough!; **nada de eso** nothing like that; **nada que decir** nothing to say
nadar to swim
nadie no one, anyone
la **nariz** nose; *pl.* nose, nostrils
la **narración** narration
natural natural
la **naturalidad** naturalness
la **necesidad** necessity, need
necesitar to need
negar (ie) to deny
negativo, –a negative
el **negocio** business, affair
negro, –a black, dark
nervioso, –a nervous, nervously
Nervo, Amado (1870-1919) *one of the greatest Mexi-*

can modernistic poets; journalist and author of prose tales and essays

ni nor, not even, not, even; **ni . . . ni** neither . . . nor
la **nieve** snow
Nieves *pr. n.*
ningún *see* **ninguno**
ninguno, –a any, no, anyone, none, neither
la **niña** girl, Miss
el **niño** child, boy
no no, not; **si no** if you don't . . . ; **no . . . ya** no longer
noble noble
la **noche** night, evening; **de —** at night; **esta —** tonight; **de la —** in the evening; **por la —** in the evening; **todas las —s** every night; **— de luna** moonlight night
Nogales, José (1860-1908) *Spanish journalist and short story writer*
nombrar to name
el **nombre** name
el **norte** north; **el Norte** *one of the principal railways of Spain*
nos us, to us
nosotros, –as we, us
notado *p. p. of* **notar** noticed
notar to notice; **notarlo** = **notar** + **lo**; **al notarlo** upon noticing it
el **notario** notary
la **noticia** information, news, piece of news; **tenía —s de** had heard about
la **novela** novel
la **novia** sweetheart
la **novilla** heifer
el **novio** sweetheart
la **nube** cloud
el **nudo** lump
nuestro, –a our
nueve nine; **después de las —** after nine o'clock
nuevo, –a new, another; **de —** again, over; **hacerlos de —** to make them over
el **número** number
numeroso, –a numerous
nunca never

O

o or; **o . . . o** either . . . or
obedecer to obey
el **objeto** object
obligado, –a obliged
obligar to oblige
la **obra** work
el **obrero** laborer
la **obscuridad** darkness
obscuro, –a dark
observa *3rd s. pres. ind. of* **observar** (he) observes
la **observación** observation
observado *p. p. of* **observar** observed
observar to observe
el **observatorio** observatory
la **obsesión** obsession
obtener to obtain, to get
obtuve *1st s. pret. of* **obtener** I obtained, got
obtuvo *3rd s. pret. of* **obtener** (he) obtained
la **ocasión** occasion, opportunity
ocultar to hide
la **ocupación** occupation, employment
ocurrido *p. p. of* **ocurrir** happened
ocurría *3rd s. impfct. ind. of* **ocurrir** was happening
ocurrir to happen, to occur;

ocurrírsele a uno to occur to one
ochenta eighty
ocho eight; — **días** a week; **a las** — at eight o'clock
el **odio** hatred
ofendido *p. p. of* **ofender** offended
el **oficial** officer
la **oficina** office
el **oficio** profession, trade
ofrecer to offer
ofreciendo *pres. p. of* **ofrecer: ofreciéndome** offering to me
¡oh! oh!
oí *1st s. pret. of* **oír** I heard
oído *p. p. of* **oír** heard
el **oído** ear
oiga *form. s. command of* **oír** listen!; **óigame = oiga + me** listen to me!
oír to hear, to listen; **al** — upon hearing
oís *2nd pl. pres. ind. of* **oír** you hear
oíste *2nd s. pret. of* **oír** you heard
el **ojo** eye; **¡unos —s!** and eyes!
oler to smell
olvida *3rd s. pres. ind. of* **olvidar** (he) forgets
se **olvida** *3rd s. pres. ind. of* **olvidarse** (it) is forgotten
olvidando *pres. p. of* **olvidar** forgetting
olvidar to forget
olvidaron *3rd pl. pret. of* **olvidar** (they) forgot
olvidarse to forget, to be forgotten
no **olvides** *neg. fam. s. command of* **olvidar** don't forget!
el **olvido** oversight, neglect
omita *form. s. command of* **omitir** omit!
once eleven; **las — y cuarto** quarter after eleven
ondular to undulate, to ripple
la **onza** doubloon
la **opción** option
la **operación** operation; **hacerle una** — to operate on him
la **opinión** opinion
oponerse (a) to oppose
la **oportunidad** opportunity
oprimir to oppress
opuesto, –a opposite
la **oración** prayer
la **orden** order, command; **a la** — at your orders
el **orden** order
ordenar to order
la **oreja** (outer) ear
el **organismo** constitution
el **orgullo** pride
orgulloso, –a proud
la **orilla** river bank
el **oro** gold
la **ortografía** orthography, spelling
os you (*fam. pl.*), to you
el **oso** bear
el **otoño** fall, autumn
otro, –a other, another; **—s más baratos** other cheaper ones
Otumba *pr. n.*
Oviedo *pr. n. capital of Asturias*
oye *3rd s. pres. ind. of* **oír** (he) hears, listens
oye *fam. s. command of* **oír** listen!
oyen *3rd pl. pres. ind. of* **oír** (they, you) hear
oyendo *pres. p. of* **oír** hearing

se **oyeron** *3rd pl. pret. of* **oírse** there were heard
oyes *2nd s. pres. ind. of* **oír** you (*fam.*) hear
oyó 3rd s. pret. of oír he heard
se **oyó** *3rd s. pret. of* **oírse** there was heard

P

pacientemente patiently
pacífico, -a peaceful
Pachín de Melás *pseudonym of* **Emilio Robles Muñiz** (1877-) *Asturian journalist and author*
el **padre** father; *pl.* parents
el **padrino** godfather
la **paga** payment
pagar to pay, to reward, to pay for
la **página** page
el **pago** payment
pague *3rd s. indirect command of* **pagar: Dios se lo —** may God reward you for it
el **país** country, nation
el **paisaje** landscape
el **paisano** peasant
la **paja** straw
el **pajarillo** little bird
el **pájaro** bird
la **palabra** word
Palacio Valdés, Armando (1853-) *famous Spanish regional novelist; wrote much about his native province, Asturias*
el **palacio** palace
pálido, -a pale; **se puso —** she became pale; **se quedó —** he grew pale
la **paliza** beating
Palma, Ricardo (1833-1919) *Peruvian author; his* Tradiciones peruanas *constitute one of the chief South American works of the nineteenth century*
la **palma** palm
la **palmeta** ferule, ruler
el **palmetazo** blow with a ruler
el **palo** stick
el **pan** bread
Pantaleón *pr. n.*
los **pantalones** trousers, pants
la **pantorrilla** calf (of the leg)
el **pañuelo** handkerchief
el **papá** father; *pl.* parents
el **papel** paper
el **par** pair, couple
para for, in order to, to; **— que** in order that; **¿— qué?** for what reason? why?; **había muerto — él** he had died as far as he was concerned; **— sí** to himself
paralizar to paralyze
parar to stop; **iremos a —** we shall end up
Pardo Bazán, Emilia (1852-1921) *Spanish novelist and author of short stories; a naturalist in theory*
parece *3rd s. pres. ind. of* **parecer** (he, it) seems
parecer to seem, to appear, to look like; **¿qué le parece?** what do you think of?
el **parecer** opinion
parecía *3rd s. impfct. ind. of* **parecer** (it) seemed
la **pared** wall
el **pariente** relative
París Paris
el **parque** park
Parrón *pr. n.*
la **parte** part; **a (por, en)**

todas partes everywhere; en (por) ninguna — nowhere; la mayor — de most of
particular private, peculiar
partir to leave, to depart
pasa *3rd s. pres. ind. of pasar:* ¿qué —? what is the matter?
pasado, –a passed, last; el año — last year; —s algunos días (años) after several days (years) had elapsed; — un cuarto de hora a quarter hour having passed; huevo — por agua soft boiled egg
pasan *3rd pl. pres. ind. of* pasar (they) pass
pasar to pass, to pass on, to spend, to happen; pasa de los cincuenta he is past fifty; — mala noche to have a bad night
pasarán *3rd pl. fut. of* pasar (they) will pass
pasarse to pass
pasear to walk
pasearse to walk
el paseo walk, promenade
el paso step
pasó *3rd s. pret. of* pasar (it) happened
la pata hoof, foot
la patadita stamp; dar una — to stamp one's foot
paternal paternal, fatherly
el patio court
Patrañuelo *title of a collection of tales (patrañas) by Timoneda*
pavimentar to pave
la paz peace
el pecado sin
el pecho breast, chest
el pedazo piece
pedir (i) to ask, to ask for, to request; — prestado to borrow
Pedro Peter
pegar to beat
peligroso, –a dangerous, treacherous
el pelo hair; hombre de — en pecho strong, burly man
penetrante piercing, penetrating, dazzling
penetrar (en) to penetrate, to enter
pensábamos *1st pl. impfct. ind. of* pensar we thought
pensando (en) *pres. p. of* pensar thinking (of)
pensar (ie) to think, to intend; — en to think of; ¡quién iba a —! who would have thought!
pensativo, –a thoughtful, pensive
el peón laborer
peor *comp. of* mal *and* malo worse; el — the worst; lo — the worst
Pepe *nickname of* José Joe
pequeñito, –a tiny
pequeño, –a small, little
perder (ie) to lose; — el tiempo to waste time; pierdan cuidado don't worry; — la cabeza por to be crazy about
perderás *2nd s. fut. of* perder you will lose
perdía *3rd s. impfct. ind. of* perder (he) lost
perdido, –a lost, ruined, "caught"
el perdido hopeless wretch
el perdón pardon; con — I beg your pardon
perdonar to pardon

perdone *form. s. command of* perdonar pardon!
Pérez *pr. n.*
Pérez Galdós, Benito (1843-1920) *Spanish novelist and dramatist. His historical novels, initiated by* Trafalgar, *cover most of the nineteenth century in Spain.*
la pereza laziness
la perfección perfection
perfectamente perfectly
perfecto, -a perfect
pérfido, -a perfidious, treacherous
el periódico newspaper
el permiso permission; ¿nos da —? does he permit us (to enter)?
permitir to permit, to allow
pero but
la perra copper coin of small value; penny
el perro dog
la persecución persecution
la Perseguida *pr. n.*
perseguir (i) to pursue
persiguen *3rd pl. pres. ind. of* perseguir (they) pursue
la persona person, friend
pertenecer to belong
el Perú *pr. n.* Peru
pesadamente heavily
pesado, -a heavy
pesar to grieve; no le pesaría you wouldn't regret it; a — de in spite of
la pesca fishing; pueblo de — fishing village
la peseta *Spanish coin, the monetary unit*
la petición request
pícaro, -a rascally
pide *3rd s. pres. ind. of* pedir (he) asks, you ask
pidiendo *pres. p. of* pedir asking for, by asking for; — limosnas by begging
pidieron *3rd pl. pret. of* pedir (they) requested
pidió *3rd s. pret. of* pedir (he) asked for
pido *1st s. pres. ind. of* pedir I ask (for)
el pie foot; de —s a cabeza from head to foot
la piedra stone
piensa (en) *3rd s. pres. ind. of* pensar (he) thinks (of)
pienso *1st s. pres. ind. of* pensar I think
pierdan *form. pl. command of* perder lose!; — cuidado don't worry
pierde *3rd s. pres. ind. of* perder (he) loses
la pierna leg
la pieza piece
pillar to plunder, catch; pillan descuidados they catch by surprise
la pimienta pepper; *see* sal
pinta *3rd s. pres. ind. of* pintar (he) paints
Pinta *pr. n.*
pintado, -a painted
pintar to paint, to depict
el pintor painter, artist
la pintura painting
el piso the floor, the story (of a house); — bajo ground floor; — principal second floor
el pisón rammer, tamper
la pistola pistol
Pitágoras *pr. n.*
el plan plan, scheme
se plantó *3rd s. pret. of* plantarse (she) stationed herself
la plata silver
el plato dish, plate, course

la **plaza** (public) square
la **plazuela** small square
el **pleito** lawsuit, litigation
la **pluma** pen, feather
la **población** town, population
pobre poor
el **pobre** poor man
el **pobrecito** poor fellow
pocazo *aug. of* **poco** a great deal, "a big little"
poco little; — **a** — little by little; **un** — **de** a little
pocos, –as a few, few
el **podenco** hound
poder (ue) to be able, can
el **poder** power
podía *1st and 3rd s. impfct. ind. of* **poder** (I, he) could
podían *3rd pl. impfct. ind. of* **poder** (they) could, were able
podré *1st s. fut. ind. of* **poder** I shall be able
podría *1st and 3rd s. cond. of* **poder** (I, he) would be able, could; **podría creerse** could one believe
podríamos *1st pl. cond. of* **poder** we would be able, we could
podrían *3rd pl. cond. of* **poder** (they) would be able, could
podrías *2nd s. cond. of* **poder** you would be able, could
la **poesía** poetry
polar polar
la **policía** police
el **policía** policeman
pone *3rd s. pres. ind. of* **poner** (he) puts, places
poner to put, to place; — **los ojos en blanco** to show the whites of one's eyes
ponerse to become, to put on; — **a** to begin; — **de pie** to stand up; — **en ridículo** to make oneself ridiculous; — **rojo** to blush; **al** — **el sol** at sunset
poniendo *pres. p. of* **poner**: **poniéndole** putting him
por for, through, on, in, because of, along, by, from, over, to; — **aquí** around here; **por buena que sea** however good it may be
porque because
¿por qué? why? why not?
el **portero** porter, janitor
Portocarrero *pr. n.*
poseer to own, to possess
poseía *3rd s. impfct. ind. of* **poseer** (he) possessed
poseían *3rd pl. impfct. ind. of* **poseer** (they) possessed
la **posibilidad** the possibility
posible possible
la **posición** position
positivo, –a positive
el **pozo** well
prácticamente practically
práctico, –a practical
el **prado** meadow
la **precaución** precaution
el **precio** price
la **preciosidad** beauty
precioso, –a beautiful
precisamente precisely
el **predicado** predicate
el **predicador** preacher
el **prefecto** prefect
prefiere *3rd s. pres. ind. of* **preferir** (you) prefer
pregunta *3rd s. pres. ind. of* **preguntar** (he) asks

la **pregunta** question
preguntar to ask; **al —** upon asking
preguntaron *3rd pl. pret. of* **preguntar** (they) asked
pregunten *form. pl. command of* **preguntar** ask!
preguntó *3rd s. pret. of* **preguntar** (he) asked
premiar to reward
la **preocupación** preoccupation, worry
se **preparaban** *3rd pl. impfct. ind. of* **prepararse** (they) were getting ready
preparado *p. p. of* **preparar** prepared
preparar to prepare
prepararse to get ready
el **preparativo** preparation
la **presencia** presence, appearance
presenciar to witness
presentar to present, introduce
presentaron *3rd pl. pret. of* **presentar** (they) presented
presentarse to present himself
presente present; **los —s** those present
el **presentimiento** presentiment
presta *3rd s. pres. ind. of* **prestar** (he) lends, you lend
prestado *p. p. of* **prestar** lent, paid
prestar to lend: **— atención** to pay attention
el **pretexto** pretext
primer *see* **primero**
primero, –a first; **de primera (clase)** first class
primitivo, –a original
Princesa *pr. n.* Princess
principal principal; **piso —** second floor
principia *3rd s. pres. ind. of* **principiar** (he) begins
el **principio** beginning; **al —** at first
prisa: de — quickly
la **prisa** hurry
la **prisión** prison
privado, –a private
privar to deprive
probar (ue) to test, try, prove
el **problema** the problem
el **proceso** trial
proclamar to proclaim
producir to produce
produciría *1st and 3rd s. cond. of* **producir** (I, it) would produce
produjo *3rd s. pret. of* **producir** (it) produced
la **profecía** prophecy
el **profesor** teacher
profundo, –a profound, deep
prolongado, –a prolonged
la **promesa** promise
prometer to promise
prometo *1st s. pres. ind. of* **prometer** I promise
pronto soon, ready; **de —** suddenly
el **propietario** proprietor
propio, –a proper, own
proponer to propose
la **proporción** proportion
la **proposición** proposition
el **propósito** purpose
el **protector** protector
proteger to protect
proteja *form. s. command of* **proteger** protect!
la **protesta** protest
la **provincia** province
provincial provincial

próximo, -a next
prudente prudent
la **prueba** trial
Prusia Prussia
publicado, -a published
pude *1st s. pret. of* **poder** I could
pudiendo *pres. p. of* **poder** being able
pudieran *3rd pl. impfct. subj. of* **poder** (they) could
pudo *3rd s. pret. of* **poder** (he) could
el **pueblo** town, village; **— de pesca** fishing village
pueda *3rd s. pres. subj. of* **poder** (he) can
puedas *2nd s. pres. subj. of* **poder** you can
puede *3rd s. pres. ind. of* **poder** (he) can, is able, may; **¿se puede?** may we come in?
pueden *3rd pl. pres. ind. of* **poder** (they) can
puedes *2nd s. pres. ind. of* **poder** you (*fam.*) can, may
puedo *1st s. pres. ind. of* **poder** I can, am able
el **puente** bridge
la **puerta** door
pues well, since, why; **— bien** well, then
puesto *p. p. of* **poner** put, put on, put down
pulsera: reloj — wrist watch
puntillas: de — on tiptoe
el **punto** point, degree; **en —** sharp; **— de vista** standpoint, point of view; **a — de** on the point of
puntual punctual
la **pupila** pupil (of the eye)
la **pureza** purity
el **purgatorio** purgatory
puro, -a pure
puse *1st. s. pret. of* **poner** I put
me **puse** *1st s. pret. of* **ponerse** I became; **— a** I began to; **— pálido** I turned pale
se **puso** *3rd s. pret. of* **ponerse** (he) became, put on; **— de pie de un salto** he jumped up; **— a** he began to; **— pálida** she turned pale; **— rojo** he blushed

Q

qu *letters of the alphabet qu*
que who, that, which, because, for, than; *not to be translated after adverbs of quantity; not to be translated when introducing a sentence*
qué what? how? what a . . . ! what . . . !; **qué bien** how well; **¿para qué?** why? for what reason?; **a qué** why?; **¿y qué?** And what of it? **¿qué tal?** how are you?
queda *3rd s. pres. ind. of* **quedar** he is, remains
se **queda** *3rd s. pres. ind. of* **quedarse** he is, remains
quedan *3rd pl. pres. ind. of* **quedar** (they) remain, are left
quedar to remain, to stay, to be, to be left; **— con vida** to live; **no quedó nada por hacer** nothing remained to be done
quedaremos *1st pl. fut. ind. of* **quedar** we shall be
quedarse to remain, to be
se **quedó** *3rd s. pret. of* **quedarse** (he) was

quejarse to complain
querer (ie) to try, to want, to love, to wish; — **decir** to mean; **¿qué quieren Vds.?** what do you expect?
quería *3rd s. impfct. ind. of* **querer** (he) wanted
querido, –a dear
queriendo *pres. p. of* **querer** wanting, wishing, trying
Quesada *pr. n.*
el **queso** cheese
quien who, he who, the one who, one who, those who; **a —** whom
¿quién? who?
quiere *3rd s. pres. ind. of* **querer** (he) wants, wishes, you wish; (he) loves; (he) tries; **¿qué — decir?** what does it mean?
quieren *3rd pl. pres. ind. of* **querer** (they) wish, want
quieres *2nd s. pres. ind. of* **querer** you wish, want
quiero *1st s. pres. ind. of* **querer** I want
quince fifteen; — **días** two weeks, a fortnight
quinientos, –as five hundred
la **quinina** quinine
quise *1st s. pret. of* **querer** I wanted, tried
quisieron *3rd pl. pret. of* **querer** (they) did want, wanted
quiso *3rd s. pret. of* **querer** (he) wanted, tried
quitar to take (away)
quitarme to take off, to take away from me
quitarse to take off
quites *2nd s. pres. subj. of* **quitar** you take away

R

la **rabia** rage, fury; **me dió —** I became furious
el **rabión** rapids
el **racimo** bunch
la **rama** branch
Ramiro *pr. n.*
Ramón *pr. n.* Raymond
rápidamente quickly, rapidly
el **rápido** rapids
raro, –a strange, peculiar, rare
el **rato** a while, space of time; **poco —** a short while
el **ratón** mouse
la **raya** line
la **raza** race, breed
la **razón** reason, argument; **tener —** to be right
razonar to reason
la **reacción** reaction
real royal; **camino —** highway
el **real** *Spanish coin worth 25 céntimos or one fourth of one peseta*
la **realidad** reality
la **rebaja** reduction
recibe *3rd s. pres. ind. of* **recibir** (he) receives, you receive
recibido *p. p. of* **recibir** received
recibió *3rd s. pret. of* **recibir** (he) received
recibir to receive
recibirá *3rd s. fut. ind. of* **recibir** (he) will receive
el **recién llegado** new arrival
recién nacido, –a newly born
recientemente recently
recoger to pick up
la **recomendación** recommendation

recomendar (ie) to recommend, to advise
recomiendo *1st s. pres. ind. of* **recomendar** I recommend
reconciliar to reconcile
reconoce *3rd s. pres. ind. of* **reconocer** (he) recognizes
recordar (ue) to remember, to recall
recordase *3rd s. impfct. subj. of* **recordar: como si —** as if he were recalling
recuerda *3rd s. pres. ind. of* **recordar** (he) recalls
recuerdo *1st s. pres. ind. of* **recordar** I recall, shall recall
el **recuerdo** recollection
recuperar to recover
rechazar to reject
Redondela *pr. n. city in Galicia*
redondo, -a round
referir (ie) to tell
refiere *3rd s. pres. ind. of* **referir** (he) tells, relates
reflejarse to be reflected
reflexionar to reflect
reformar to reform
el **refrán** proverb
refrescar to refresh
regalar to give, to present
la **región** region
la **regla** rule; **en toda —** fairly
regresar to return
la **regularidad** regularity
rehusar to refuse
la **reina** queen
reír (i) to laugh
el **relámpago** lightning
relatado *p. p. of* **relatar** related
el **reloj** watch; **— de oro** gold watch; **— pulsera** wrist watch
relucir to shine
el **remedio** remedy, help; **no hay más —** there is no help for it; **esto no tiene —** that's all there is to it
rendirse to surrender
repente: de — suddenly
repetía *3rd s. impfct. ind. of* **repetir** (he) repeated, would repeat
repetir (i) to repeat
repite *3rd s. pres. ind. of* **repetir** (he) repeats
repito *1st s. pres. ind. of* **repetir** I repeat
replica *3rd s. pres. ind. of* **replicar** (he) replies
replicar to reply, to answer
reprender to reprove
la **representación** representation, presentation, performance
representado, -a represented
reproducirse to reproduce
la **reputación** reputation
el **resfriado** cold
resignado, -a resigned, submissive
resistir to resist, to endure
la **resolución** resolution
resolver (ue) to resolve, decide
resonar (ue) to resound
el **resoplido** snort
la **respiración** breathing, respiration
respirar to breathe
responde *3rd s. pres. ind. of* **responder** (he) responds, answers
responde *fam. s. command of* **responder** answer!
responder to answer, respond

respondió *3rd s. pret. of* **responder** (he) answered
la **respuesta** reply
el **restablecimiento** recovery
el **resto** rest
resuelto *p. p. of* **resolver** solved
resuelto, –a resolute, determined
resuena *3rd s. pres. ind. of* **resonar** (it) resounds
el **resultado** result
resultar to turn out
retirar to draw back
retirarse to withdraw, to leave, to get out, to retreat
retírate *fam. s. command of* **retirarse** get out!
se **retiró** *3rd s. pret. of* **retirarse** (he) withdrew
retrasar to set back
el **retrato** picture
la **reunión** gathering, meeting
reunir to gather, accumulate
reunirse to gather, to meet
la **reverencia** bow
la **revista** magazine, journal
el **revólver** revolver
el **rey** king
Ricardos *pr. n.* Richards
rico, –a rich
el **rico** rich man
ridículo, –a ridiculous; **ponerse en —** to make oneself ridiculous
riendo *pres. p. of* **reír** laughing
te **ríes** *2nd s. pres. ind. of* **reírse** you are laughing
la **rima** rhyme; **Rimas** *collection of poems by Bécquer*
el **rincón** corner; **echar a un —** to discard
ríndase *form. s. command of* **rendirse** surrender!
ríndete *fam. s. command of* **rendirse** surrender! give up!
me **río (de)** *1st s. pres. ind. of* **reírse** I laugh (at)
el **río** river
se **rió** *3rd s. pret. of* **reírse** (he) laughed
la **riqueza** wealth; *pl.* riches
la **risa** laughter
el **ritmo** rhythm
el **rival** rival
robado, –a stolen
robar to steal, to rob
el **robo** theft
robusto, –a robust
rodeado, –a (de) surrounded (by)
la **rodilla** knee; **ponerse de —s** to kneel down
Rodríguez *pr. n.*
rojo, –a red; **se puso —** he blushed
romano, –a Roman
Romero *pr. n.*
romper to tear, to break, to wear out; **al — el alba** at daybreak
el **ronzal** halter
la **ropa** clothes, clothing
Rosales *pr. n.*
Rosita *pr. n.*
roto, –a torn
roto *p. p. of* **romper** torn
rubio, –a blonde
el **rubio** blondeness
rugir to roar
el **ruido** noise
la **ruina** ruin
ruinoso, –a ruined
el **rumor** sound, rumor
Russell *pr. n.*
rústica: en — paper covered
rústico, –a rustic

S

sabe *3rd s. pres. ind. of* **saber** (he) knows, you know
saben *3rd pl. pres. ind. of* **saber** (they) know; **cosas que no —** things they know nothing about
saber to know, to find out, to understand; *when followed by inf.* to know how
sabes *2nd s. pres. ind. of* **saber** you know
sabían *3rd pl. impfct. ind. of* **saber** (they) knew
la sabiduría wisdom
sabio, -a learned, wise
sabrías *2nd s. cond. of* **saber** you would know how, be able
saca *3rd s. pres. ind. of* **sacar** (he) puts out, sticks out, takes out
sacaba *3rd s. impfct. ind. of* **sacar** (he) took down
sacando *pres. p. of* **sacar** sticking out
sacar to take out, to take off, to take down, to stick out, to put out
sacramental sacramental
sacrificar to sacrifice
sacudirse to shake
sagrado, -a sacred
la sal salt, wit; **con mucha — y pimienta** very witty and lively
Salamanca *pr. n. a residential district of Madrid*
sale *3rd s. pres. ind. of* **salir** (he) goes out
salen *3rd pl. pres. ind. of* **salir** (they) come out, go out
salga *3rd s. pres. subj. of* **salir** (he) comes out; **— bien o mal** whether it turn out well or badly
saliente projecting
salió *3rd s. pret. of* **salir** (he) went out
salir to leave, to go out, to come out, to turn out, to recover
salirse to depart
la saliva saliva
el salón drawing room, hall, salon
saltar to jump
el salto jump
la salud health
la salvación salvation
salvado, -a saved
salvar to save
salve *form. s. command of* **salvar** save!
Sama *pr. n. town in Peru, near the Chilean frontier*
san *shortened form of* **santo** saint
el sanatorio sanatorium
Sandoval *pr. n.*
San Francisco *pr. n. city in California*
sano, -a healthy
Santiago James
el santo saint; **día de mi —** my saint's day, *celebrated in Spain instead of birthday*
saqué *1st s. pret. of* **sacar** I drew out, took out
saquen *form. pl. command of* **sacar** take out!
sarcoranfus (*Greek*) condor, vulture
el sargento sergeant
Satanás Satan
satánico, -a Satanic
la satisfacción satisfaction
satisfecho, -a satisfied

se himself, herself, itself, yourself, themselves, yourselves, one, each other
se *3rd person indirect object before 3rd person direct object* to him, to her, to you, to them
sé *1st s. pres. ind. of* saber I know, I can
sea *form. s. command of* ser be!
sea *3rd s. pres. subj of* ser: bendita — tu alma may your soul be blessed
no seas *neg. fam. s. command of* ser do not be!
secamente dryly
seco –a dry
el secretario secretary
el secreto secret
Sedano *pr. n.*
seguida: en — immediately
seguido, –a (de) followed (by)
seguir (i) to follow, to continue
según as, according to; — dicen according to what they say
segundo, –a second
el segundo second
seguramente surely
seguro, –a sure, certain
seis six
la selección selection
Sellés, Eugenio (1844-1926) *Spanish dramatist and short story writer*
el sello stamp
la semana week
la semilla seed
la sencillez simplicity
sencillez: con — simply
sencillo, –a simple
la sensación sensation
sentado *p. p. of* sentar seated
sentarse (ie) to sit down
sentía *3rd s. impfct. ind. of* sentir (he) felt
el sentido sense
sentir (ie) to regret, to feel, to hear; — miedo to feel afraid
sentirse (ie) to feel
la seña sign; *pl.* description
la señal sign
señalando *pres. p. of* señalar indicating
señalar to point, indicate
el señor gentleman, man; — sir; — mío my dear sir; — cura your reverence, father; *untranslated when used with other titles*
la señora lady, Mrs., woman, madam, wife
la señorita young lady
separar to separate
el septiembre September
el sepulcro sepulcher
ser to be
será *3rd s. fut. ind. of* ser (he) will be, probably is
Serafín *pr. n.*
serán *3rd pl. fut. of* ser: ¿— éstos los bandidos? can these be the bandits?
la serenidad serenity; con — serenely
sereno, –a calm, serene
el sereno night watchman
sería *3rd s. cond. of* ser (it) would be; ¿— un anarquista? could he be an anarchist?; ¿— una broma? could it be a joke?
serían *3rd pl. cond. of* ser: ¿quiénes —? who could they be?

la **serie** series
serio, –a serious
el **sermón** sermon
servir (i) to serve, help; **no servía para nada** he was of no use
servirse de (i) to make use of
sesenta sixty
setenta seventy
severo, –a severe
Sevilla *pr. n.* Seville
Shu Shu Gah *pr. n.*
si if, whether
sí yes, certainly, indeed, he did; **éste sí que es** this one certainly is
sí herself, himself, themselves, itself, yourself
sido *p. p. of* **ser** been
siempre always; **para —** forever
sienta *3rd s. pres. ind. of* **sentar** (he) seats
se **sienta** *3rd s. pres. ind. of* **sentarse** (he) sits down
siéntense *form. pl. command of* **sentarse** sit down!
siento *1st s. pres. ind. of* **sentir** I regret, I am sorry
la **sierra** mountain range
siete seven
siga *form. s. command of* **seguir** continue!
el **siglo** century
significar to signify, mean
el **signo** sign
sigue *3rd s. pres. ind. of* **seguir** there follows
siguiendo *pres. p. of* **seguir** following
siguiente following, next
siguieron *3rd pl. pret. of* **seguir** (they) followed
siguió *3rd s. pret. of* **seguir** (he) continued, followed
el **silbido** whistling, hooting
el **silencio** silence
silencioso, –a silently
la **silla** chair
simpático, –a agreeable, nice, likable
sin without
sincero, –a sincere
singular singular, peculiar, strange
sino but, except
sintió *3rd s. pret. of* **sentir** (he) felt
se **sintió** *3rd s. pret. of* **sentirse** (he) felt
el **síntoma** symptom
el **sinvergüenza** shameless person
la **sirena** siren
sirve *3rd s. pres. ind. of* **servir**: **— para** is used for
el **sirviente** servant
el **sitio** place
la **situación** situation
sobre on, concerning, over, above; **— todo** especially
el **sobrino** nephew
el **socorro** help
sois *2nd pl. pres. ind. of* **ser** you are; **— unos borricos** you are a bunch of asses
el **sol** sun; **al —** in the sun
solamente only
solas: a — alone
el **soldado** soldier, private
la **soledad** solitude
solemne solemn
solo, –a alone
sólo only
soltar (ue) to release, to utter, to let go
soltero, –a single, unmarried
el **solterón** bachelor
la **solución** solution
la **sombra** shadow, shade
el **sombrero** hat

son *3rd pl. pres. ind. of* ser (they) are; si lo — if they are
sonar (ue) to sound
el sonido sound
sonoro, –a sonorous
sonreír (i) to smile
sonriendo *pres. p. of* sonreír smiling
sonriente smiling
la sonrisa smile
el soñador dreamer
soñar (con) (ue) to dream (of)
la sopa soup
soplar to blow
Sor Sister, *title given to nuns*
sorprender to surprise
me sorprendí *1st s. pret. of* sorprenderse I was surprised
sorprendido, –a surprised
la sorpresa surprise
la sospecha suspicion
sospechar to suspect
sospechoso, –a suspicious
sostener to maintain, support
sostuvo *3rd s. pret. of* sostener (he) maintained
soy *1st s. pres. ind. of* ser I am; — yo it is I
Sr. *abbreviation of* señor
Stuart *pr. n.*
su her, his, their, your, its
Suárez *pr. n.*
suave soft
suavemente gently
subir to go up, to rise, to get into, to come up
subirse to mount
subterráneo, –a subterranean, underground
el subterráneo tunnel
suceder to happen, to follow
el suceso event, happening
sucio, –a dirty
sudar to sweat, perspire
el sueldo salary
el suelo floor, ground
suelta *fam. s. command of* soltar (he) utters; —la out with it
suelto, –a loose
el sueño sleep, dream
la suerte fate, luck, fortune
suficiente sufficient, enough
sufrido *p. p. of* sufrir suffered
sufrir to suffer, to bear, to stand
suntuoso, –a sumptuous, luxurious
supe *1st s. pret. of* saber I learned of, heard about
la superficie surface
superior superior
el superior superior
supersticioso, –a superstitious
supo *3rd s. pret. of* saber (he) found out, knew
suponer to suppose
supremo, –a supreme, great
supuesto: por — of course
suspender to suspend
suspirar to sigh
el suspiro sigh
suspiró *3rd s. pret. of* suspirar (he) sighed
el susto fright
lo suyo that which is his, his due

T

la taberna tavern
Taboada, Luis (1848-1906) *Spanish humorist*
Tajes *pr. n.*
tal such (a), just; ¿qué —?

how are you?; **un — Manuel** a certain Manuel; **— vez** perhaps
el tamaño size
también too, also
Tambo Chico *pr. n.*
tampoco neither, either; **— tenía . . .** did not have **. . .** either
tan so, as
tanto, -a as much, so much; *pl.* so many
tardar (en) to be long (in), to delay
tardaría *3rd s. cond. of* **tardar** it would take him
tarde late; **más —** later
la tarde afternoon; **buenas —s** good afternoon; **por la —** in the afternoon
te you, to you (*fam.*)
teatral theatrical
el teatro theater
el techo roof
telegrafiar to telegraph
el telégrafo telegraph; **oficina de —s** telegraph office
el telegrama telegram
Téllez *pr. n.*
el tema theme, subject
temblaba, *3rd s. impfct. ind. of* **temblar** (it) trembled
temblar to tremble
temer to fear
el temor fear; **con —** fearfully
la tempestad storm, tempest
el templo temple
la temporada space of time, a while
temprano early; **— y con sol** early and with fair weather
ten *fam. s. command of* **tener: — cuidado** be careful
tendría *1st and 3rd s. cond. of* **tener** (I, he) would have; **— para comer** I would have enough to eat; **¿— novia?** could he have a sweetheart?; **— sesenta años** he was probably 60 years old
el tenedor fork
tenemos *1st pl. pres. ind. of* **tener** we have
tener to have, to keep; **tenerle = tener + le; — frío** to be cold; **— ganas de** to feel like; **— miedo de** to be afraid of; **— que +** *inf.* to have to; **— razón** to be right; **— sed** to be thirsty; **— sueño** to be sleepy; **— vergüenza** to be ashamed; **¿qué edad tiene?** how old is he?; **ahí tiene Vd. dinero** there is some money
tengo *1st s. pres. ind. of* **tener** I have; **aquí lo —** here it is; **bien vistos los —** I have seen them well; **no — miedo** I am not afraid
tenía *3rd s. impfct. ind. of* **tener** (he) had; **no — nada que hacer** he had nothing to do
tenido *p. p. of* **tener** had; **ha — que** (he) has had to
el teniente lieutenant
la tentativa attempt, trial
tente *fam. s. command of* **tenerse** stop!
tercer *apocopated form of* **tercero** third
tercero, -a third; **de —a** third class
terco, -a stubborn
Teresita *pr. n. dim. of* Theresa

terminaba *3rd s. impfct. ind. of* **terminar** (he) ended
terminado, -a finished
terminar to finish, to end; **al —** upon finishing
el **terreno** ground
terrible terrible
el **terror** terror
el **tesoro** treasure
el **testigo** witness
ti you (*fam.*)
la **tía** aunt
el **tiempo** time, weather; **mucho —** a long time; **de —s de** of the time of; **a —** on time
la **tienda** shop, store
tiene *3rd s. pres. ind. of* **tener** (he) has, you have; **Vd. — que dejar** you have to leave; **¿qué — . . . ?** what is the matter with . . . ?; **que — los ojos negros** whose eyes are black; **aquí — Vd.** here is
tienes *2nd s. pres. ind. of* **tener** you have; **¿qué —?** what is the matter with you? **aquí —** here is
tiernamente tenderly
la **tierra** land, earth
tifoideo, -a typhoid
tímido, -a timid, bashful
Timoneda, Juan de (d. 1583) *dramatist and short story writer of the Spanish Golden Age*
el **tío** uncle, fellow (*term of contempt*), old fogy
el **tiraero** attraction, "attraction business"
tirar to throw, to pull, to attract
el **tiro** shot
el **título** title
tocar to play, to ring
todavía still, yet
todo, -a all, every; **del —** entirely; **—s los días** every day
tolerar to tolerate
toma *3rd s. pres. ind. of* **tomar** (he) takes
toma *fam. s. command of* **tomar** take!
tomado, -a taken, made; **tomada una resolución** having made a resolution
tomar to take, to get; **— el sol** to sun oneself
tomas *2nd s. pres. ind. of* **tomar** you take
tome *form. s. command of* **tomar** take!
tomo *1st s. pres. ind. of* **tomar** I take
el **tónico** tonic
el **tono** tone
el **tonteo** foolish action, tomfoolery
el **tontín** stupid, dummy
tonto, -a stupid
el **tonto** fool
la **tontona** *aug. of* **tonta** big fool
el **tópico** topic
Tormes *river in western Spain*
el **torrente** torrent
el **total** total; **total** in all
trabajaba *3rd s. impfct. ind. of* **trabajar** (she) used to work
el **trabajador** worker
trabajar to work
el **trabajo** work, task
la **tradición** tradition
trae *3rd s. pres. ind. of* **traer** (he) brings
trae *fam. s. command of* **traer** bring!; **tráemelo** bring it to me!

traer to bring
Trafalgar *novel by Pérez Galdós, dealing with the battle of Trafalgar, 1805, in which Lord Nelson defeated the combined French and Spanish fleets*
tragar to swallow; **tragando saliva** swallowing hard
trágico, –a tragic
la **traición** treachery, betrayal
traído *p. p. of* **traer** brought
traigan *form. pl. command of* **traer** bring!
traigas *2nd s. pres. subj. of* **traer** you bring
traigo *1st s. pres. ind. of* **traer** I bring
trajeron *3rd pl. pret. of* **traer** (they) brought
trajo *3rd s. pret. of* **traer** (he) brought
tranquilamente calmly, tranquilly
la **tranquilidad** tranquility
tranquilo, –a calm, quiet, easily
el **transeúnte** passer-by
transmitir to transmit
tras after, behind
el **tratado** treatise
tratar to try; **— de** to try to; **¿tratarían de robarme?** could they be trying to rob me?
el **trato** company
través: a — de through, across
trayendo *pres. p. of* **traer** bringing
treinta thirty
tremendo, –a tremendous
trémulo, –a trembling, tremulous
el **tren** train
tres three
trescientos, –as three hundred
triste sad, sadly, miserable, wretched, unfortunate
la **tristeza** sadness; **con —** sadly
el **tronco** trunk, log
la **tropa** troop
el **trozo** piece
el **trueno** thunder
tu your (*fam. s.*)
tú you (*fam. s.*)
la **tumba** tomb
turbulento, –a turbulent
el **turista** tourist
tuve *1st s. pret. of* **tener** I had
tuvo *3rd s. pret. of* **tener** (he) had, received; **— miedo** he was afraid
tuyo your (*fam.*), yours, of yours

U

Úbeda *city in southern Spain, in the province of Jaén*
¡uf! *interjection denoting surprise* whew!
último, –a last, latest; **por —** finally
un a, an, one
una a, an
único, –a only; **el —** the only one; **lo — malo** the only bad thing
la **uniformidad** uniformity
la **universidad** university
uno, –a one; **a la una, a las dos** *counting* one, two . . . ; **hasta la una** until one o'clock
unos, –as some, several, a bunch of

urgentemente urgently
Uriondo *pr. n.*
el **Uruguay** *pr. n.* Uruguay
usado, –a used
usar to use
usted you (*form.*)
la **uva** grape

V

va *3rd s. pres. ind. of* ir (he) goes, is going; — **subiendo** (he) is rising; **¿quién va?** who goes there?
la **vaca** cow
la **vacilación** hesitation
vacilante vacillating, hesitating
vacilar to hesitate
el **vagabundo** vagabond, tramp
vagamente vaguely
el **vago** vagrant; **por —** as a vagrant
vale *3rd s. pres. ind. of* **valer** (it) is worth
Valentín *pr. n.* Valentine
valer to be worth
Valera, Juan (1827-1905) *regional novelist and critic; author of many short stories; noted for his psychological analyses of Andalusian life and for his purity of form*
valgo *1st s. pres. ind. of* **valer** I am worth
valió *3rd s. pret. ind. of* **valer** (he) was worth
el **valor** valor, courage, value
Valparaíso *pr. n. seaport in Chile*
el **valle** valley
vamos *1st pl. pres. ind. of* **ir** we are going, come!
vamos *1st pl. command of* ir let us go; **vamos a** + *inf.* let us . . . ; come on! come! why! well!
van *3rd pl. pres. ind. of* ir (they) go
la **vanidad** vanity
vano, –a vain
variar to vary
varios, –as several
vas *2nd s. pres. ind. of* ir you (*fam.*) are going
te **vas** *2nd s. pres. ind. of* irse you (*fam.*) are going away
el **vaso** glass, vase
vaya *form. s. command of* ir go!; ¡—! come now! why!; — **Vd. con Dios** good-bye
váyase *form. s. command of* **irse** go!
Vd. *abbreviation of* **usted**
ve *3rd s. pres. ind. of* ver (he) sees; **se —** one sees, is seen
vea *form. s. command of* ver see! see here!
veamos *hortatory subj. of* **ver** let us see
veces *see* **vez**
la **vecina** neighbor
vecino, –a neighboring
el **vecino** neighbor, inhabitant
se **veía** *3rd s. impfct. ind. of* **verse** was seen
veíamos *1st pl. impfct. ind. of* ver we used to see
se **veían** *3rd pl. impfct. ind. of* **verse** (they) were seen
veinte twenty
veinticinco twenty-five
veintiún twenty-one
vemos *1st pl. pres. ind. of* **ver** we see

ven *fam. s. command of* **venir** come!
vencer to overcome
el vencido failure
vender to sell
veneciano, -a Venetian
vengan *form. pl. command of* **venir** come!
la venganza vengeance
vengarse (de) to avenge oneself (on)
vengo *1st s. pres. ind. of* **venir** I come
venía *3rd s. impfct. ind. of* **venir** (he) came, was coming
venían *3rd pl. impfct. ind. of* **venir** (they) came, were coming
venid *fam. pl. command of* **venir** come!
venido *p. p. of* **venir** come
venido, -a: empleando gente — de la costa by employing people who had come from the coast
venir to come
la venta sale
la ventana window (of a house)
la ventanilla small window (of a coach)
veo *1st s. pres. ind. of* **ver** I see
ver to see, to look at; **verle = ver + le; verme = ver + me; a —** let's see; **al —** upon seeing; **tener que — con** to have to do with
verá *3rd s. fut. ind. of* **ver** you will see; **— Vd.** see here!
el verano summer
veras: de — really
verás *2nd s. fut. ind. of* **ver** you will see
la verdad truth; **¿—?** really? isn't it? have they? isn't there? won't you? isn't it so?; **¿no es —?** haven't I? didn't you? isn't it so?; **es —** it is true, that's so; **en —** indeed; **toda la —** the whole truth
verdadero, -a true, real
verde green
vergonzoso, -a shameful
la vergüenza shame; **me da —** I feel ashamed
Verne, Julio *French author of tales of adventure*
el verso verse
ves *2nd s. pres. ind. of* **ver** you (*fam.*) see
vestido, -a (de) dressed (as)
el vestido dress, article of clothing
vete *fam. s. command of* **irse** go away!
la vez time; **una —** once; **otra —** again; **en — de** instead of; **algunas —** sometimes; **tal —** perhaps; **a —** at times; **cada —** continually; **de — en cuando** from time to time
vi *1st s. pret. of* **ver** I saw
la vía route, road
viaja *3rd s. pres. ind. of* **viajar** (he) travels
el viaje trip; **de —** on a trip
la viajera traveler (*f.*)
el viajero traveler
la víctima victim
la vida life; **— de Lazarillo de Tormes** *see* **Lazarillo; con —** alive
la vieja old woman, old one, old lady

el **viejecillo** little old man
viejísimo, -a very old
viejo, -a old
el **viejo** old man
viendo *pres. p. of* **ver** seeing
viene *3rd s. pres. ind. of* **venir** (he) comes; **el mes que —** next month
el **viento** wind
vieron *3rd pl. pret. of* **ver** (they) saw
vigilar to watch, guard
vimos *1st pl. pret. of* **ver** we saw
vine *1st s. pret. of* **venir** I came
vinieron *3rd pl. pret. of* **venir** (they) came
vino *3rd s. pret. of* **venir** (he) came
el **vino** wine
la **viña** vineyard
vió *3rd s. pret. of* **ver** (he) saw; **— pasar a Finita** saw Finita pass
la **virgen** virgin; **once mil vírgenes** eleven thousand maidens, companions of St. Ursula; they were martyred by the Huns in Cologne
virtuoso, -a virtuous
visible visible, evident
la **visión** vision, sight, apparition
la **visita** visitor, visit; **— de cortesía** social call
el **visitante** visitor
visitar to visit
la **vista** sight, vision, view, glance
visto *p. p. of* **ver** seen; **bien —s los tengo** I have seen them well
la **viuda** widow
la **viudita** little widow
el **viudo** widower; **los —s** widow and widower
vivamos *hortatory subj. of* **vivir** let us live
vive *3rd s. pres. ind. of* **vivir** (he) lives
vivía *3rd s. impfct. ind. of* **vivir** (he) lived
vivir to live
vivo, -a bright, vivid, live, alive
los **vivos** the living
el **vocabulario** vocabulary
la **vocecita** little voice
voces *see* **voz**
volar to fly
el **volumen** volume
volver (ue) to return, to turn, to make; **volver a** + *inf.* again
volverse (ue) to return, to become; **— loco** to go mad
volvió *3rd s. pret. of* **volver** (he) returned
voy *1st s. pres. ind. of* **ir** I am going; **allá —** I am coming
me **voy** *1st s. pres. ind. of* **irse** I am going (away)
la **voz** voice, shout; **en — baja** in a low voice; **en — alta** aloud; **a toda —** loudly; **a grandes voces** shouting loudly
la **vuelta** return, turn
vuelve *3rd s. pres. ind. of* **volver** (he) returns
vulgar common
vultur papa (*Latin*) king vulture

X

Xico *pr. n. pronounce* shíko

Y

y and
ya already, indeed, now; **ya no** no longer; **ya . . . ya** now . . . now; **ya lo creo** yes, indeed
yo I

Z

el **zagal** shepherd boy
Zamora *city of western Spain*
el **zapato** shoe
¡zas! bang!
zoológico, –a zoological
el **zoólogo** zoologist